くった

海外暮らし最強ナビ

ヨーロッパ編

久保田由希&山田静・編

辰巳出版

PROLOGUE

ヨーロッパ暮らしへの、はじめの一歩

この本を手にしてくださったあなたは、いまどんなことを考えているだろうか。

ヨーロッパの学校で勉強したい。
現地の会社に就職したい。
いつかは住んでみたいけど、どうしていいかわからない。
家族のヨーロッパ赴任について行くことになった。
日本を出て、ちょっと息抜きをしたい。

どんな理由でもいい。ヨーロッパ暮らしを実現する上でもっとも大切なもの、それはあなたの「暮らしたい」という気持ちだ。それさえ失わなければ、いつか、なにかの形で願いは叶う。

ヨーロッパに住むなんて、ハードルが高いと感じる人もいるかもしれない。でも、いきなり永住なんて考える必要はないのだ。住む＝永住ではない。数ヵ月、数年、それ以上と、ヨーロッパで暮らす期間やスタイルは、人によってさまざまだ。一歩一歩進めていけば、自分なりのヨーロッパ暮らしがきっと実現できる。

そんな想いで、私たちはこの本を作った。本書の執筆者は、現在ヨーロッパに在住し

ている、あるいは在住した経験のあるライターたち。きっかけはさまざまだが、各自が居住国で滞在の道を切り開いてきた経験がある。

本書では、日本で準備できることからヨーロッパ各国で必要なことまでを、最新情報をもとに説明している。さらに、現地で暮らす日本人たちの体験談もたくさん盛り込み、ヨーロッパでの生活がイメージできるように心がけた。

これを書いている2021年4月現在、ヨーロッパでは新型コロナウイルスによって日常生活に大きな制限が課せられている。国によっては外出や会う人数が制限されており、国内外の自由な移動は、現在は難しい。

だが、それが永遠に続くことはない。「暮らしたい」気持ちを胸に準備をしておけば、飛び立てる日はやって来る。

日本を出て、ヨーロッパで暮らしてみる。それはきっと、あなたにとってかけがえのない経験になるだろう。この本がはじめの一歩となり、ヨーロッパ暮らしが現実になることを心から願っている。

久保田由希

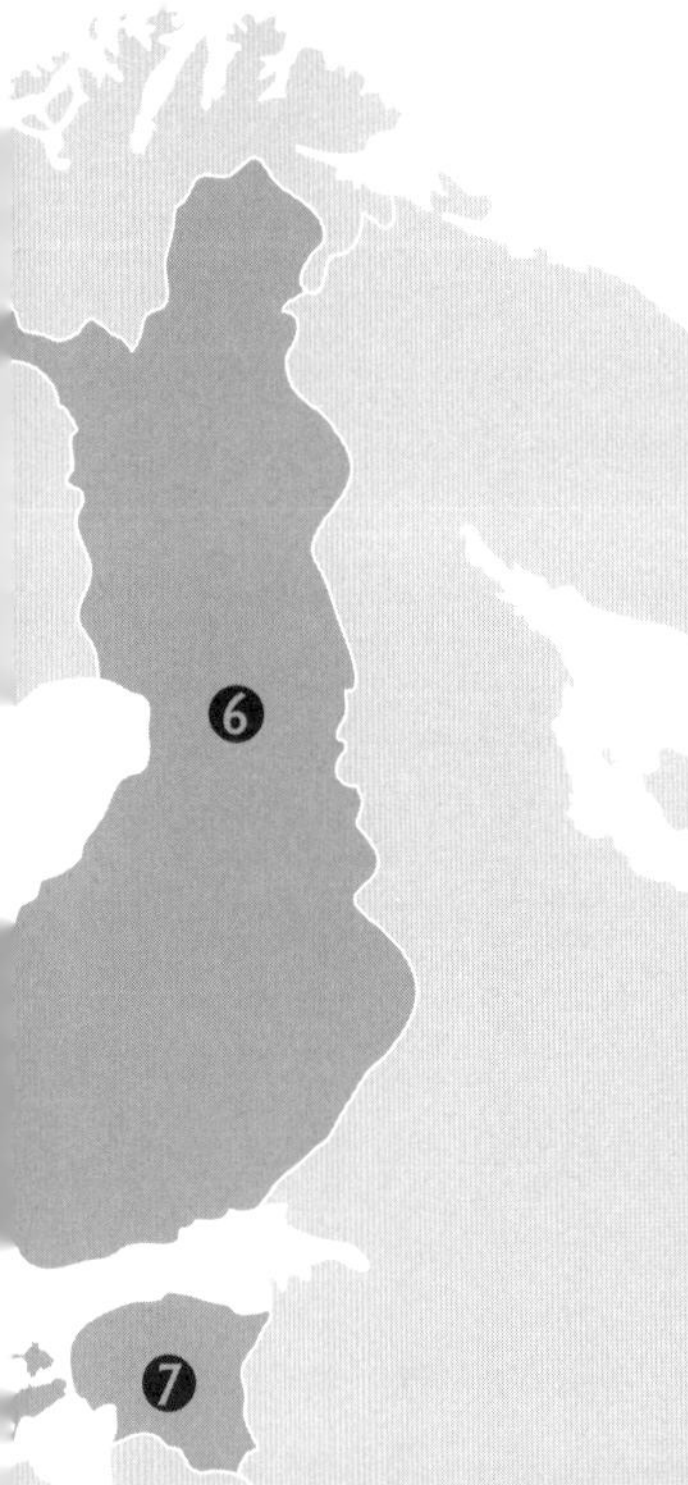

6

フィンランド

豊かな自然と
ワークライフバランスが魅力の
幸福度1位の国。

P.169

7

エストニア

美しい自然を抱えた、
情報技術立国をめざす
急成長の電子国家。

P.189

本書で紹介する国々

働く、学ぶ、体験する。
ヨーロッパでしかできないことはたくさんある。
まずは、本書各章でヨーロッパの国々について理解を深めよう。
そして、自分のやりたいことやそのための条件などを考えながら、
ヨーロッパ暮らしのイメージを具体化させていこう。
そうすればもう、はじめの一歩は踏み出している。

8

ジョージア

1年間ビザなしで
滞在できて就労・留学も
できる注目の国。

P.205

❶

イギリス

4つの国からなる連合王国。
ロンドンは欧州最大の
日本人都市。

.... P.043

❷

フランス

政府が主導する
「フレンチテック」プロジェクトで、
起業を支援。

.... P.073

❸

ドイツ

留学・就労・ワーホリと
移住の可能性が幅広く、
安定感のある経済大国。

.... P.103

❹

オランダ

子どもの幸福度が高く、
異文化にオープン。
個人事業主ビザも取りやすい。

.... P.133

❺

イタリア

歴史と多彩な文化、芸術を
留学やインターンシップで
学んでみては。

.... P.153

CONTENTS

【第3章】芸術と自由を愛する観光大国 フランス

【第4章】移住先として抜群の安定感 ドイツ

［第5章］外国人が住みやすい自由と寛容の国 オランダ

［第6章］ 歴史と多彩な文化が魅力 イタリア

［第7章］ 幸福度1位で注目の国 フィンランド

［第8章］ 電子国家として急成長 エストニア

本書で各章冒頭に記載している各国のデータは、外務省およびJETRO（日本貿易振興機構）によります。なお、データはなるべく最新のものを使用していますが、各国の事情により2018年～2020年のものとなっています。また、本書の内容は平時のものです。コロナ禍においては各国の状況は流動的なので、必ず関係各機関で最新情報を確認してください。各国大使館の連絡先はP．219－221をご覧ください。1ユーロ＝約129円、1英ポンド＝約150円（いずれも2021年3月現在）。

Guidance

[第1章] ガイダンス

ヨーロッパ暮らしの準備をはじめよう

文・久保田由希

Guidance

誰にでも暮らせる可能性はある

ヨーロッパ暮らしの経験は人生の大きな財産になる

ヨーロッパとは、具体的にどこなのか

「ヨーロッパで暮らしたい」「ヨーロッパに住むことになった」

本書を手にしてくださった方の多くは、おそらくそのどちらかだろう。では、ヨーロッパとは具体的にどこの地域を指すのだろうか。地理的にはユーラシア大陸の北西部に当たる地域で、北は北極海、西は大西洋、南は地中海に面しており、東側の境界は明確ではない。外務省のホームページでは、東側はロシア、カザフスタン、キルギス、タジキスタンまで含まれている。それとは別にEU（欧州連合）という単位もあるし、EUに属する国も変化する。じつは、なにを基準とするかでヨーロッパの定義は変わってくる。

本書ではロシア以西の国々をヨーロッパと考え、その中でも日本人が移住を考えやすいイギリス・フランス・ドイツ・オランダ・イタリア・フィンランド・エストニア・ジョージアの8ヵ国を取り上げている。

なぜこの8ヵ国なのか。それは、日本人が現地で働いたり、学ぶ機会が多かったり、住んでみたいと憧れる国であったり、あるいは滞在条件を比較的満たしやすい国であるからだ。各国の詳しい情報については、それぞれの章のページを読んでほし

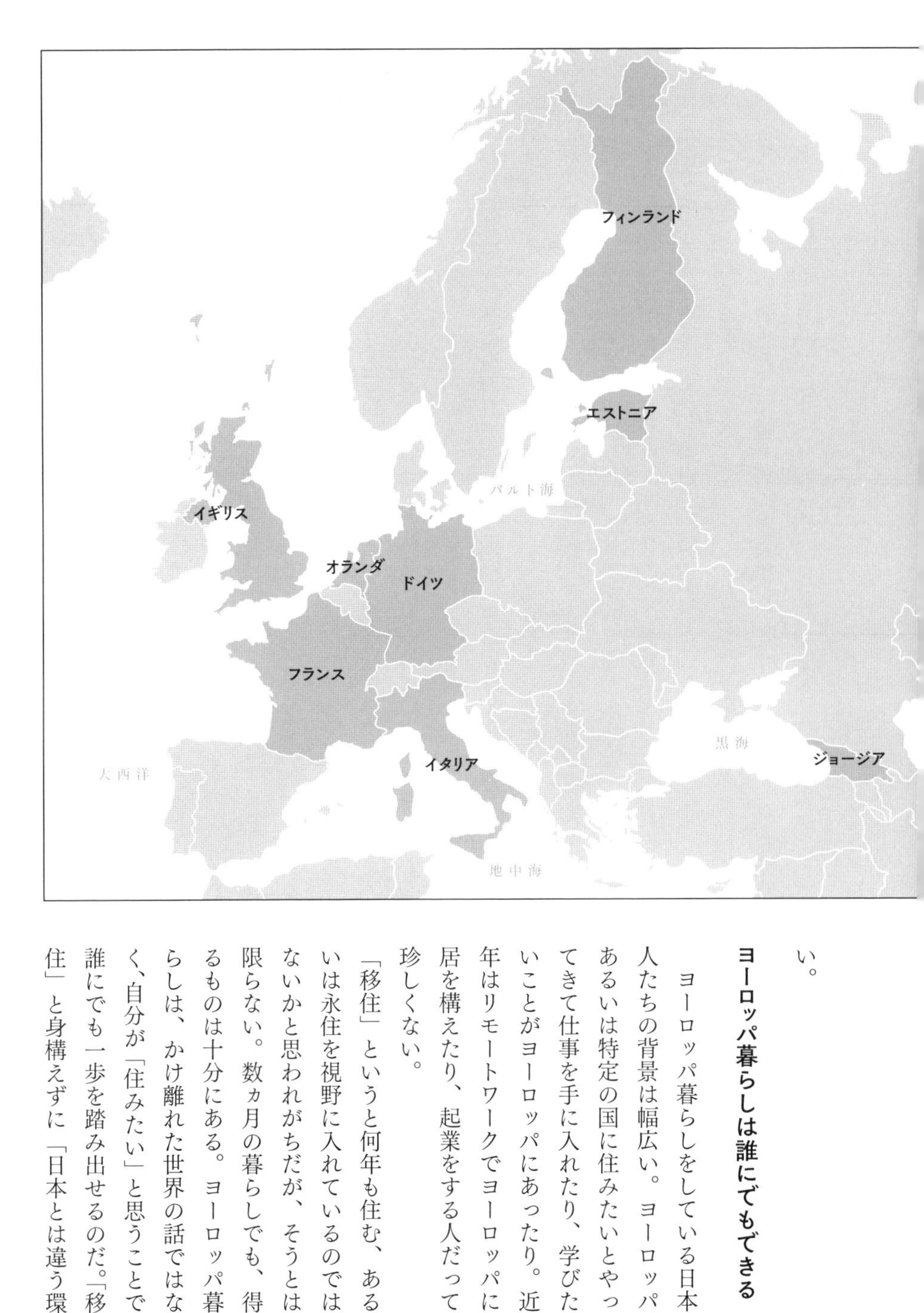

い。

ヨーロッパ暮らしは誰にでもできる

ヨーロッパ暮らしをしている日本人たちの背景は幅広い。ヨーロッパ、あるいは特定の国に住みたいとやってきて仕事を手に入れたり、学びたいことがヨーロッパにあったり。近年はリモートワークでヨーロッパに居を構えたり、起業をする人だって珍しくない。

「移住」というと何年も住む、あるいは永住を視野に入れているのではないかと思われがちだが、そうとは限らない。数ヵ月の暮らしでも、得るものは十分にある。ヨーロッパ暮らしは、かけ離れた世界の話ではなく、自分が「住みたい」と思うことで、誰にでも一歩を踏み出せるのだ。「移住」と身構えずに「日本とは違う環境に一時期身を置いてみる」程度の気持ちでスタートしてもいいのではないか。そこから一歩一歩進んでいくうちに、結果として数年、あるいは数十年住むことになるのだと思う。

もちろん長く住むこと自体が目的ではないし、長く住んだからすごいというわけでもない。大切なのは、ヨーロッパで暮らすことで自分の人生をより豊かにすることではないだろうか。

私の場合は、仕事に追われていた日本での暮らしを離れて、1年ぐらい息抜きをしたいという漠然とした気持ちでドイツを訪れた。ドイツは子どもの頃に1年間だけ暮らしたことがある「身近な海外」で、その頃感じたゆとりのある環境でしばらく生活したくなったのである。ドイツの中でベルリンを選んだのは、それまで数回旅行した際に自由でのんびりとした独特の雰囲気を感じ、肌に合いそうだと思ったからだ。

だから来た当時は、何年間も住むとは夢にも思っていなかった。それが、ベルリンの魅力にすっかりはまってしまい、「あと少し、あと少しここにいたい」と望むうちに、あっという間に15年以上が経ってしまった。日本で綿密に移住計画を立ててきたわけでもないのに思いがけず長期間住めたのは、この街でどうにかして暮らしたいという強い思いと、インターネットが発達して海外でも仕事が行える、つまり海外リモートワークや海外ノマドの幕開けという時代背景によるものだろう。

どんなやり方なら住めるのか、人それぞれに可能性は異なる。本書でいろいろな選択肢を提示することで、あなたの中の可能性を見つけてほしいと願っている。

ヨーロッパ暮らしがもたらすもの

当然ながらヨーロッパの国々がすべて同じわけではないが、日欧間の違いに比べれば欧州諸国は傾向として似ている点は多いだろう。日本と文化も風習も異なるヨーロッパに住んで見えてくることはたくさんある。

たとえば、暮らしのテンポ。ヨーロッパの大都市でも、東京や大阪と比べれば人々はゆったりと生活している。お店のレジや窓口でちょっとした会話を交わしたり、路上で困っている人を見かけたらさっと手助けしたり。そうした小さな出来事の積み重ねは、心にゆとりをもたらしてくれる。

働き方も日本とは違う。職種にも

よるが、家族や自分の自由を犠牲にしてでも仕事をするという感覚はなく、プライベートを重視する。

街に残る歴史的建造物から、国や民族の歴史について思いを巡らせることもあるかもしれない。

出会う人も幅広い。ヨーロッパに住んでいるのは、なにもその国の人だけではない。移民や2世、3世などさまざまな国籍や背景を持った人々と知り合うことで、自分の視野は確実に広がる。日本にいたら得られないだろう経験や出会いは、自分自身を大きく成長させてくれる。

いいことも嫌なことも現実すべてを見るのが「暮らし」

もちろん、よいことばかりではない。夢や憧れを抱いてヨーロッパにやって来たとしても、期待と違ってがっかりすることだってある。むしろ、不満や失望、ときには憤りを感じるのは当然のことだ。

実際に暮らしてみると、ヨーロッパでは思い通りにいかないことの連続だったりする。日本では当たり前だと思っていた、時間通りにやってくる公共交通や計画通りに進む仕事、守られる人との約束事や丁寧なサービス。これらは、ヨーロッパに来ると全然当たり前ではない。外国人にとって今後を左右する重要なビザの申請だって、担当官によっていうことが違ったりするのだ。担当者が不在で物事が進まないこともよくある。「ヨーロッパって、こんなにいい加減だったんだ」と驚くかもしれない。

でもそれらは日本人の「常識」で考えているからで、ヨーロッパにはまた別の基準があるものだ。文化や背景が異なる国同士で単純な比較はできないと思う。短所に見える点も別の角度から見れば長所になることもあるし、その逆も然り。そうしたことをひとつずつ理解していくことは、大きな学びになる。たとえ予想通りにいかなくても、ちょっとしたことでは驚かないし文句もいわなくなる代わりに、すかさず代替案を考えたり交渉したりと、暮らすうちに考え方や行動も変わっていくだろう。

暮らすということは、素晴らしい面だけでなく、理不尽なこともひっくるめてすべてを経験するということ。生活者としてありのままの日常を過ごすことで、さまざまな価値観をより深く理解し、自分の人生や社会に活かすことができる。ヨーロッパ暮らしを通して得た経験は、人生において大きな財産となるはずだ。

Guidance

ヨーロッパ暮らしへのステップ

自分の目標や適性に合わせて住むための戦略を考える

滞在目的を決めるのが近道

さて、ここからはヨーロッパに住むための具体的なステップを考えていこう。

まずは、自分の気持ちや目標、できることや適性を考慮しながら、どういう形で暮らしたいのかを明確にしていくことからはじまる。ここが決まらないと、永遠に「いつかヨーロッパに住みたいなあ」とつぶやくままで終わってしまう。人生はそれほど長くはない。健康で、一定期間日本を離れても心配のない状態が常にあるとは限らない。ヨーロッパで暮らしたいと少しでも願っているのなら、それを具体化していくことが実現への近道だ。

大学留学や就職など、ヨーロッパでやりたいことが具体的に決まっているのならば、それに向けて準備をしていけばいい。すでにはじめの一歩を踏み出していることになる。もし、具体的なアイディアがなく、なんとなく暮らしたいと考えているのなら、どうすれば実現できるかを考えよう。

日本国籍の人がヨーロッパに住む場合、一定期間（国により異なる）を超えると滞在許可を取得しなくてはならない。そのためには、滞在目的を明確にし、書類などを揃えて申請する必要がある。しかし、ある程度ヨーロッパで過ごしてみないと、どんな目的で住めるのかわからないという人もいるだろう。

おためしプチ滞在のすすめ

そこでまずおすすめしたいのが、

滞在許可を申請せずに滞在できる短期間の「プチ滞在」だ。

いくら特定の国にいいイメージを抱いていたり、旅行で訪れたことはあったとしても、旅行と生活は違うもの。国や都市との相性は案外大きいと思う。その国についてあまりよく知らないうちから、いきなり長期の本格移住を計画するのは「こんなはずではなかった」ということにもつながりかねない。せっかく多大なエネルギーを使って移住するのだ。実りあるものにしてほしい。

そのためにも、まずは1ヵ月なり2ヵ月なり、滞在許可不要でいられる期間（詳細はP．18または各国ページを参照）を使って気になる国や都市にプチ滞在してみよう。それならば住まいはAirbnbでもよいし、住民登録などをする必要もない。パスポートと航空券、海外旅行保険に入れば実現できるのだ。ハードルは一気に下がるのではないだろうか。

ただし、滞在中は旅行者の視点ではなく、「ここで暮らすためにはどういう方法があるか」「仕事はありそうか」「人々と知り合えそうか」「治安はよさそうか」など、長期移住を視野に入れて過ごしてみよう。語学学校や趣味の教室に通うのもいい。現地語の習得につながり、知り合いも作れる。

そうやって一定期間を過ごすうちに「やっぱり住みたい」「ここはちょっと違う気がする」「どうしても食事が合わない」など、自分なりに感じるものがあるはずだ。違和感がなければ、そこで長期移住を考えはじめても決して遅くはない。むしろプチ滞在期間を利用して現地に人脈を作っておけば、長期滞在を開始する際に大きな助けになるものだ。

もちろん、プチ滞在のみで日本に帰国してもいいし、毎年プチ滞在を繰り返して、滞在許可を取ることなく日本とヨーロッパを行き来するライフスタイルだって考えられる。

ジョージアなら1年ビザなしで滞在できる！

日本のパスポートがあればビザなしで1年間いられる国がある。近年注目を集めている、東欧の国ジョージアだ。滞在目的は問われないので、のんびりと過ごしたかったり、旅行三昧な生活を送りたい人にはぴったりだろう。各国のノマドワーカーに人気というのもうなずける。そのほかオーストリアも、１８０日までならビザなしで滞在可能（P．19）。

Guidance

シェンゲン協定とは
シェンゲン加盟国なら90日以内はビザなしで滞在できる

シェンゲン協定とＥＵは違う

ヨーロッパにはシェンゲン協定という協定がある。これは加盟国内の人、物、サービス、資本が自由に移動できることをめざして１９８５年に締結されたもので、現在26ヵ国が加盟している（表1）。シェンゲン加盟国はＥＵ加盟国と重なる国も多いが、完全には一致しないので注意したい。

日本のパスポートを持つ者がシェンゲン協定加盟国に観光で滞在する場合、「あらゆる１８０日の期間内で最大90日間」はパスポートを持っていればよく、ビザは免除されている（ただし、フランスやイタリアなど、90日以上滞在予定ならば、日本出発前にビザの申請が必要な国もある）。連続した過去１８０日の中で合計90日間滞在できるので、その範囲で滞在を繰り返してもいいし、90日間連続でもよい（トランジットでの通過も日数にカウントされる）。90日間シェンゲン加盟国に滞在したら、その後一定期間は入れない。

しかし、その期間は長期滞在のための準備期間にあてればよい。滞在したい国のことを調べたり、滞在許可申請のための書類を集めたりしていれば、時間はあっという間に過ぎる。

何回もシェンゲン加盟国を訪れたので、あと何日滞在できるのかわからないという人は、ホームページ上（注1）で日数を計算することができ

表1　シェンゲン領域

アイスランド、イタリア、エストニア、オーストリア、オランダ、ギリシャ、スイス、スウェーデン、スペイン、スロバキア、スロベニア、チェコ、デンマーク、ドイツ、ノルウェー、ハンガリー、フィンランド、フランス、ベルギー、ポーランド、ポルトガル、マルタ、ラトビア、リトアニア、ルクセンブルク、リヒテンシュタイン

る。

パスポートは有効期間がシェンゲン加盟国からの出国予定日から3ヵ月以上残っており、かつ10年以内に発行されたものであることが条件だ。

気をつけたいのは、「あらゆる180日の期間内で最大90日間」のビザ免除は、あくまでも観光目的などでの滞在に適用されるということ。現地での報酬を伴う労働などには、たとえ90日の期間内でも別のビザが必要になるので、各国の大使館に確認をしてほしい。そして、最終的な入国判断はあくまでも入国時の審査官によって行われるので、何らかの理由で90日の期間内でも入国できない場合もゼロではない。

シェンゲン協定加盟国内の移動は入国審査なし

期間内はシェンゲン協定加盟国内を自由に移動できる。つまり加盟国であるフランス、ドイツ、オランダ、イタリアなどをビザ免除期間内に周遊して、住んでみたい国を探してみることもできるのだ。

シェンゲン協定加盟国を周遊しても、入国審査は最初に入国した国で行われるのみ。たとえば空路で日本からフランスに入国した場合、空港で入国審査を行ったら、その後ドイツやオランダに陸路や空路で移動しても入国審査はない。別に悪いことをしていなくても入国審査はけっこう緊張するものなので、移動のたびに行われないのは心理的にラクになる。当然ながら、シェンゲン協定加盟国からイギリスなどの非加盟国に移動した場合は、そこで入国審査がある。

1ヵ国にじっくり滞在して、気に入った都市を探すのもいい。最大90日間をどう過ごすかはあなた次第だ。

オーストリアなら180日まではビザ不要！

オーストリアはシェンゲン協定に加盟しているが、それとは別にオーストリアと日本の2国間の取り決めで、日本のパスポートがあれば通常180日以内の滞在にはビザが不要だ(注2)。パスポートは過去10年以内に発行されたもので、予定滞在期間終了後も3ヵ月以上有効でないといけない。オーストリアに3ヵ月以上滞在するときは、直行便を利用すべきで、そうでない場合は非シェンゲン加盟国経由で出入国するか、シェンゲンビザを取得しなければならないので注意しよう。

注1：Short-stay Visa Calculator　https://ec.europa.eu/home-affairs/content/visa-calculator_en
注2：観光、訪問、商用が目的の場合。

Guidance

滞在パターンを考える

どういう目的で滞在できるか ビザの種類から考える

長期滞在には滞在許可が必要

ヨーロッパに一定期間以上暮らすには、滞在許可（在留許可）が必要だ。滞在許可は文字通り、その国での滞在を許可されるもので、就労や留学などの目的に応じて出される。よく「ビザが取れたから2年住める」などという記述を見かけるが、これは厳密にいえば滞在許可が下りたということになる。ビザは、パスポートとともに所有していることで入国を許される、いわば入国許可のようなものだ。

長期滞在を予定して入国する場合、国によっては、まず日本にある大使館でビザを申請後に入国し、現地で滞在許可を申請する流れになる。一方で、日本での手続きなしにパスポートだけで入国し、入国後に滞在許可を申請すればよい国もある。詳細は本書や大使館のホームページなどで確認してほしい。

一般的には、滞在許可の内容は国によってさまざまなため、まとめてビザと書かれていることが多く、大使館のホームページでも「滞在許可（ビザ）」と表現されている例があるので、ここでは就労ビザや学生ビザといった言葉も用いていく。これは、就労や学生などの条件が付いた滞在許可という意味である。

長期滞在なら、滞在許可の種類から考える

一定期間以上ヨーロッパに暮らしたいのなら、そのための滞在許可を申請しなければならない。ここで、自分の滞在目的を明確にする必要性

が生まれる。

滞在許可の種類は細分化されており、詳細は国によって異なるが、大まかには就労・学生・配偶者ビザがある。国によってはそれ以外にもワーキングホリデービザやスタートアップビザ、個人事業主ビザなどを申請できる。

図1　長期滞在を決めるステップ

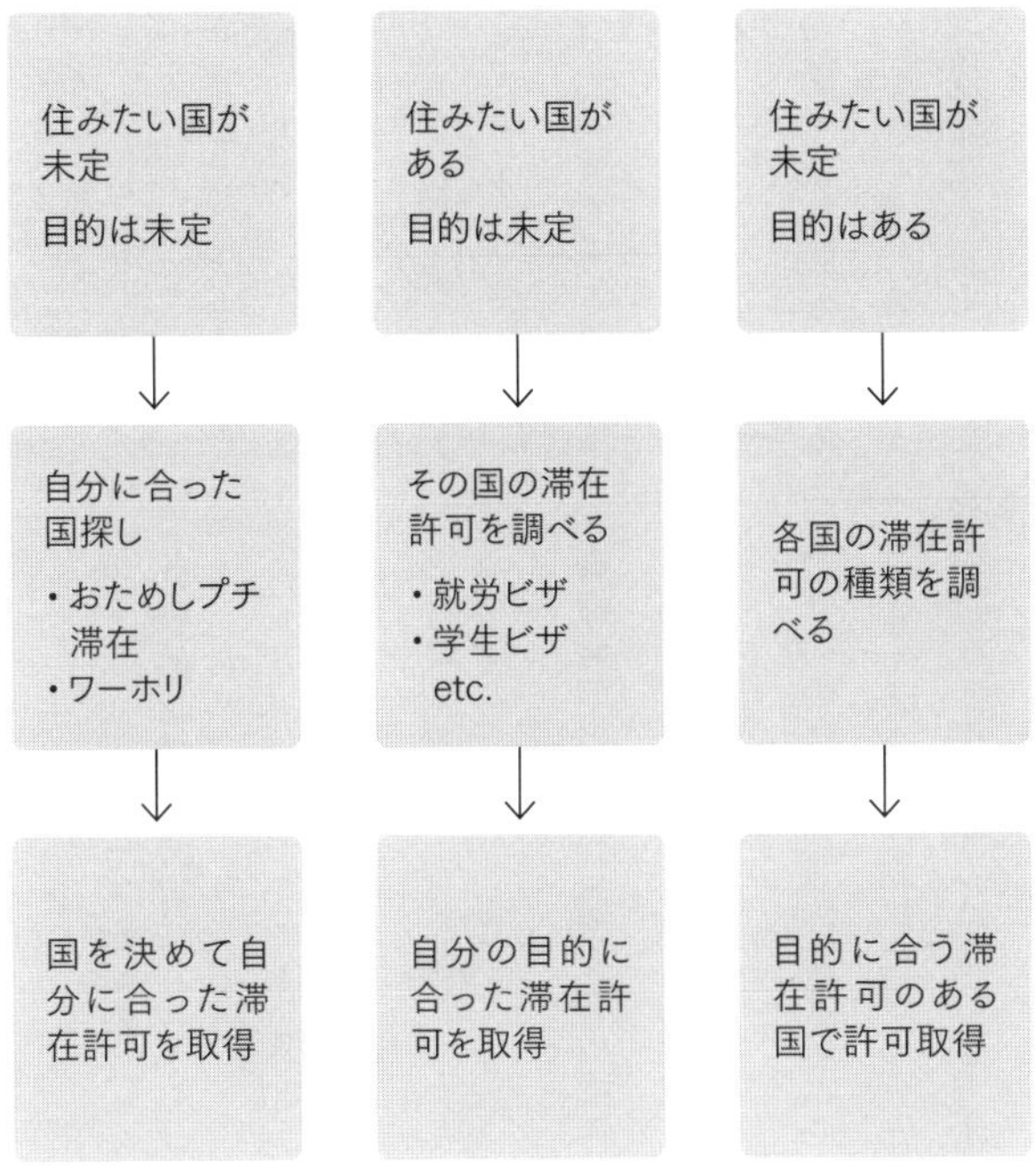

住みたい国が未定 目的は未定	住みたい国がある 目的は未定	住みたい国が未定 目的はある
↓	↓	↓
自分に合った国探し ・おためしプチ滞在 ・ワーホリ	その国の滞在許可を調べる ・就労ビザ ・学生ビザ etc.	各国の滞在許可の種類を調べる
↓	↓	↓
国を決めて自分に合った滞在許可を取得	自分の目的に合った滞在許可を取得	目的に合う滞在許可のある国で許可取得

もし、住みたい国だけ決まっていて、なにをやるかはまだわからないとか、就労や留学ではなくて単にのんびりと暮らしたいという人は、その国にある滞在許可の種類を調べよう。なぜなら、理由もなくただ滞在したくても、そうした滞在許可は少ない。リタイアメントビザというのもあるが、現地での就労はできず、十分な資金を持っていることが条件で、年齢制限を設けている国もある。それに当てはまる人は多くはないだろう。

だから、その国で自分は何の滞在許可なら取れそうなのかを考えることが、長期滞在の戦略を立てることになる。

少なくとも数年は住みたいと考えているのなら、留学などで家族からの経済的な援助があるケースを除いては、現地で働くのが現実的だと思う。となれば、住みたい国・都市の求人状況を調べて、自分ができそうな仕事を見つけていくことからはじめてみよう。海外就職サイトや、現地の日本人向け情報サイトを見れば参考になる。

住みたい国が決まっていないのなら、自分に合った求人を多く出している国・都市が、移住できる可能性が高いといえる。

たとえば、日本で営業職としての経験があり、現地語や英語ができるのなら、現地で就職をめざすという手がある。会社や業務によっては、英語ができれば現地語のレベルは不問なこともある。現在働いている人は、自分の職種がヨーロッパでニーズがあるかを調べてみよう。そうやって、一歩ずつ自分が滞在できる道を具体的にしていく。

ヨーロッパで暮らすための代表的な滞在許可

次に、いろいろな滞在許可と滞在のケースを紹介しよう。自分に合った道が見えてくると思う。

◆被雇用者として働くなら就労ビザ

被雇用者として働く場合に、就労ビザを申請する。国によっては就労ビザの中で何種類かに分かれていることもある。申請には雇用主との契約書などが求められるので、仕事がない状態で就労ビザを申請することはない。

現実的には、現地人ができる仕事のポストにわざわざ日本人が就く必然性はないので、高度な専門技能を持っているのでなければ、日系の会社や日本人相手のサービスを行っている会社への就職が多い。

なお、日系の会社で働くのなら、駐在員としてヨーロッパに滞在する可能性があると思うかもしれない。しかし、日本から派遣される駐在員と現地採用社員ではポジションがまったく異なる。会社側の事業計画によって決まる駐在員は、住む場所や期間を自ら選ぶことはできない。駐在員のほうが待遇はいいが、ヨーロッパで暮らすことが最優先なら、現地での就職をめざすべきだろう。

◆高度資格所有はEUブルーカードを取得できる

EU加盟国では、高度な資格を持ち、現地で就職する外国人に対してEUブルーカードというビザを設けている。高度な資格とは、数学、情報処理、自然科学、工学分野や医師を指す。たとえばＩＴエンジニアとして現地で就職すれば、ＥＵブルーカードを取得でき、一般の就労ビザよりも早く無期限定住許可（いわゆる永住権）の申請ができる。もし日本でこうした職種に就いているのなら、ヨーロッパでの就職はかなり有利だ。

◆スタートアップとして起業する

新たなビジネスで短期間に急成長をめざすスタートアップ。事業内容によっては日本よりもヨーロッパのほうが有利なこともある。オランダやエストニアは、スタートアップ用のビザを発給しているので、起業を考えている人は検討してみては。

◆フリーランスとして滞在する

オランダやドイツでは、フリーランスとしてビザを申請できる。ライターやウェブデザイナー、ＩＴエンジニアでフリーランスとして滞在しているケースはよくある。申請した仕事以外は、現地での就労はできない条件が付くこともあるので注意。

◆配偶者ビザ

現地人との結婚によって滞在する人のためには、配偶者ビザがある。なお、結婚しても自分の国籍は変わらない。ごくたまに、ヨーロッパで暮らすために結婚相手を探す人もいるようだが、これは本末転倒だろう。配偶者ビザの取得には、書類集めなど多大なエネルギーを要するし、自分だけの問題ではなくなる。国によっては離婚も大変で、日本のように離婚届を1枚出せば済むことではない。それだけの労力を費やすのなら、最初から就労や留学などをめざすほうが、目標に確実に近づくだろう。

◆学生ビザで大学・大学院で学ぶ

大学や大学院で専門分野を研究するのなら、学生ビザが用意されている。ヨーロッパの大学生たちは概して勉強時間が多く、大量のレポートや課題をこなさないと卒業が難しい。サークル活動やアルバイトに精を出す学生生活とはかなり異なり、あくまでも勉強が目的の生活となる。

◆語学学生としてビザを取る

語学学校は学生ビザとは別のビザを設けている国が多い。一般的に、滞在が許可される期間は学生ビザよりも短く、アルバイトなどもできない傾向にある。

Guidance

取らないなんてもったいない！

若さの特権！ワーキングホリデービザとオペア制度

若いときでないと取れないビザもある。ワーキングホリデービザとオペアビザだ。どちらも長期滞在が可能で、滞在期間中の自由度が高い。ヨーロッパの文化や暮らしを知りたい人にはぴったりで、取っておいて損はない。順番に説明していこう。

ワーキングホリデー制度とは？

ワーキングホリデー（以下ワーホリと記述）制度とは、2国・地域間の取り決めなどに基づいて、各々が相手国・地域の青少年に対し、休暇目的の入国及び滞在期間中における旅行・滞在資金を補うための付随的な就労を認める制度。つまり、ワーホリ制度を導入している国の若者同士が、相手国をより深く知ることを目的としたビザだ。日本では１９８0年から開始され、ワーホリで行ける国の数は現在26ヵ国にのぼる。ワーホリを利用して滞在できるヨーロッパの国は18ヵ国だ（表1参照）。多くの国では申請時点で18歳以上30歳以下（フランスは30歳未満、アイスランドは26歳以下）という年齢制限がある。

注意点は、ひとつの国に対して1回しか使えないこと。ただし、ワーホリ終了後に、別のビザに変更して滞在することはできる。また、別の国で再度ワーホリを利用することは問題ない。たとえば、ワーホリでイギリスに滞在後、ドイツのワーホリを申請することができる。各国のワーホリの内容や取得条件は異なるので、国ごとに確認を。ワーホリ申請は自分でできるが、心配なら日本のエージェントに依頼もできる。ただし、なかにはワーホリビザの取得を確約するなどと事実とは異なる説明をして高額な料金を請求する悪徳エージェントもいるので注意したい。

国によって取りやすさが違う

ワーホリビザは国によって条件が異なるため、取りやすさに違いがある。年間で定員を設けている国では、応募者がそれ以上になった場合、誰でも取得できるわけではない。たとえば、イギリスは年間発給数1000に対してその10〜20倍もの応募があるといわれており、毎年1月と7月に行われる抽選で取得が決まる狭き門だ。その代わり、当選すればイギリスに2年間滞在できる。ほかの国では、ワーホリビザで滞在できる年数は通常最長1年間なので、2年間は魅力的だ。

フランスでは、ワーホリ申請にあたって申請動機の作文や滞在中の計画書が求められ、場合によってはビザが下りないこともある。

ドイツは発給数の制限がなく、必要書類を揃えれば通常1年間のワーホリビザが出る。

ヨーロッパ内は数ヵ国を結ぶ鉄道もLCCも発達しており移動は簡単にできるので、旅行もしやすい。もし希望の国でワーホリが取れなかったとしても、ほかの国でトライする価値は大いにある。申請にあたって特別に難しい条件がなく、長期間滞在できて就労も許されるビザは、ワーホリをおいてほかにない。若者の特権ともいえるこのビザを、ぜひ有意義に使ってほしい。

家庭で育児を手伝うオペア

オペアとは、家庭に住み込みで育児を手伝いながら、その国を理解する制度。参加者は若い女性が多いが、男性でも可能だ。ヨーロッパではイギリス、フランス、ドイツ、オランダ、フィンランド、デンマーク、スウェーデン、ノルウェー、オーストリア、ベルギー、イタリア、スペイン、アイスランド、アイルランドにオペア制度がある。ビザの種類や申請条件は、国により異なる。

表1　ワーキングホリデー制度を導入しているヨーロッパの国

国・地域	年間発給枠
フランス	1500
ドイツ	なし
イギリス	1000
アイルランド	800
デンマーク	なし
ノルウェー	なし
ポルトガル	なし
ポーランド	500
スロバキア	400
オーストリア	200
ハンガリー	200
スペイン	500
アイスランド	30
チェコ	400
リトアニア	100
スウェーデン	なし
エストニア	なし
オランダ	200

外務省HPより抜粋

Guidance

ワーホリやプチ滞在で経験を深める

ヨーロッパでできることはいろいろある

現地企業で働いたり、大学に留学するほかにも、ヨーロッパで経験できることはいろいろある。いくつかの例をご紹介しよう。ワーホリビザや学生ビザ、またはビザ不要の期間内でも十分に行える内容もある。ヨーロッパでできることは、想像以上に幅広いと感じられるのではないだろうか。

◆インターン（職業体験）

ヨーロッパではインターンが盛んに行われている。報酬はないか、あってもわずかなのでインターンを主目的とした滞在許可を取るのは困難だろうが、ワーホリなどのビザを利用してヨーロッパでインターンの経験を積むことはできる。1回経験すれば、別のところでもやりやすい。

インターンを見つけるには日本のエージェントを使うこともできるが、情報を集めて履歴書（CV）を送るところから自分でやってみることはいい勉強になる。日本から打診をして返事をもらえる確率は少ないが（インターンに限らず、あらゆることにおいて返事が来ないのはヨーロッパでは日常茶飯事だ）、とにかく多数トライすることで道が拓けることはある。また、日本人が所属し

ヨーロッパで修業や資格取得も夢ではない

ているスタートアップや団体ならば、そうでないところよりチャンスが増えることもある。イタリアの語学学校では、インターンシップのプログラムを導入しているところもある（P．161）。

インターンをするにあたり、ある程度の現地語や英語力は必要だ。どの程度のレベルが求められるかは、ケースバイケースだろう。

◆職人修業・資格取得

職人・マイスター制度の整っているドイツでは、職人のもとで研修をすることが可能だ（P．119）。すでにドイツ語能力と日本での実務経験があれば、ハードルは高いが自分で修業先を見つけるのも不可能ではない。ドイツの職人国家資格は、約3年かけて理論と実習を学び試験に合格すると取得できる。それには滞在許可が必要になるが、一連の流れをサポートしているエージェントもある。職人の分野としてはパン、菓子、家具、整形外科靴、ビールやワイン醸造など幅広くある。

◆専門学校で学ぶ

シェンゲン協定加盟国では90日間以内ならビザなしで滞在できることを利用して、専門学校でヨーロッパならではの技術を学ぶのも、実りのある滞在になるはずだ。

◆「短期の」教育移住（親子留学）

近年よく聞くのが「教育移住」または「親子留学」という言葉だ。どちらも内容は同じで、子どもに現地の教育を受けさせることを目的として親子で暮らすことを指す。実際のところは、子どもの年齢や滞在期間によって内容は千差万別だ。短期の体験プログラム的なものなら、子どもの異文化体験になるだろう。

ただし、子どもに国際的になってほしいなどの理由で、数年単位の長期滞在で現地校に編入することは相当慎重に考えたほうがよい。現地校というのは現地の市民のためにある存在で、現地語がわからない、または一定水準に満たない子どもが入学しても苦労するのは子ども自身だ。バイリンガルになる可能性もあるが、現地語も日本語も中途半端になってしまうこともあり得る。また、親も学校教育に相当関わる必要があるため、親自身の現地語の習得も必要不可欠となる。当然ながら、長期滞在には親が就労ビザなどを取得しなければならない。

Guidance

ヨーロッパも国によっていろいろ
日本人が滞在しやすい国のポイントはなにか

　ヨーロッパ暮らしの目的や期間は人それぞれなので一概にはいえないが、滞在しやすい国や都市はある。ポイントを挙げてみるので、暮らしたい国や都市を決める際の参考にしてほしい。

物価が安い

　プチ滞在にせよ、滞在許可を取っての長期滞在にせよ、物価が安いと生活費が抑えられる。特に、現地で就労しない滞在なら物価が安い分だけ長くいられたり、別のことにお金をかけることもできる。傾向としては、西欧や北欧に比べて東欧諸国のほうが物価は安い。ただし、西欧諸国も食材類は安めのことが多い。外食は高くつくが、自炊中心で暮らすのなら、物価が高い国でも生活費を抑えることはできる。

　住む場所によって差が大きいのは家賃だろう。西欧の大都市は家賃が高く、家探しも難しいのでその分ハードルは高い。

外国人に慣れている

　ヨーロッパの大都市には、さまざまな人種の人々が暮らしている。アジア系移民は珍しくないし観光客もいるので、日本人が歩いていたとしてもジロジロ見られたり、よくも悪くも特別扱いされることはあまりな

日本食品店や日本の書店が並ぶデュッセルドルフ

いだろう。そういう環境では比較的気楽に過ごせる。

英語が通じやすい

滞在当初からいきなり現地語が堪能な人は少ないのではないだろうか。多くの人は、暮らしはじめてから現地の言葉を習得していくものだと思う。そんなときに、英語が通じやすい環境は、やはり心強いものだ。英語力があれば現地語能力は問われない仕事も見つかりやすい。

英語能力を測定するEF EPI英語能力指数の第２０２０版（注１）によると、世界ランキングの1位から9位までをヨーロッパ諸国が独占しており、それ以降も多くのヨーロッパの国がランクインしている。世界ランキングの1位はオランダ、２位以下はデンマーク、フィンランド、スウェーデン、ノルウェー、オーストリア、ポルトガル、ドイツ、ベルギーと続く。

日本人が一定数住んでいる

ヨーロッパ暮らしを計画中のときは「せっかくヨーロッパに暮らすのだから、日本人とは一切知り合いたくない」と考えるかもしれない。たしかに短期滞在ならそれもいいかもしれないが、海外に慣れていなかったり滞在が長期にわたれば、日本人との友人づきあいや助け合いに救われることは多い。日本人が多い場所では、日本食品店や各種エージェントなど日本人向けのサービスも揃っているので暮らしやすいし、いざというときも心強い。

２０２０年の外務省「海外在留邦人数調査統計」によれば、ヨーロッパの都市でもっとも日本人（3ヵ月以上滞在）が多く住んでいるのはロンドンで、３４１２５人。パリの１３１５２人、ドイツ・デュッセルドルフの８３３２人がこれに続く。

滞在許可が取りやすい

滞在許可が必要な長期滞在やヨーロッパへの永住を考えているのなら、滞在許可が取りやすい・延長しやすい国に住めば、それだけ目標に近づきやすくなる。

滞在許可を取るための第一歩は、おもに現地での就労や大学留学だ。現地で日本人が就職するには、やはり日系の会社や日本人相手のサービスを行っているところが可能性は高い。しかし、イギリスやイタリアは、滞在許可の取得や延長が厳しいことで知られている。

注１：語学事業を展開するイー・エフ・エデュケーション・ファーストが行っているテストをもとにした指数。
https://www.efjapan.co.jp/epi/

Guidance

ヨーロッパで暮らすには現地語がわからないとダメ?

英語ができれば現地語は不要?

ヨーロッパ暮らしでハードルが高いと思う要素のひとつが言葉ではないだろうか。英語、フランス語、ドイツ語、イタリア語、スペイン語……ヨーロッパで使われている言語は多岐にわたる。ヨーロッパ内で英語圏の国といえばイギリス、アイルランド、マルタ程度で、それ以外の国に住むのならば、その国の言葉を覚えることになる。

だが、外国語の習得はラクではない。現地の言葉はどの程度必要なのか、また、英語ができれば現地語はできなくても大丈夫なのだろうか。

現地語の習得の必要性

その国がどの程度英語が通用するかにもよるが、結局のところ現地語を習得すべきかどうかは、仕事の内容や自分がその国でどう暮らしたいかに尽きる。

社員が多国籍のグローバル企業や世界的に活動するアーティスト、音楽家など、世界のどの国にいても英語だけで仕事ができる人はいる。1日の暮らしの中で仕事が占める割合は大きい。それ以外の生活シーンでどうしても現地語が必要になりそうなときといえば、役所などでの手続きだろうか。

そういうときだけ通訳や誰かの同伴を依頼すれば、日常生活は現地語ができなくても乗り切ることはできるだろう。実際に現地語なしで、英語だけで暮らしている人はいる。

ただ、現地語ができるようになると世界が一気に広がることは確かだ。いくら英語が通じやすい国でも、物事はその国の言葉で動いている。住んでいる国のことを深く理解したければ、言葉の習得は前提になると思う。

外国人が現地の言葉でコミュニケーションすれば、英語でよりもずっと距離が近づくし、現地で交流できる人の幅がぐっと広がる。決してネイティブレベルにならなくても、現地語ができたほうがより多くの経験ができるといえるだろう。

とはいえ、ヨーロッパ暮らしになにを求めるかは、人それぞれだ。そこに正解はない。

では、英語圏ではないヨーロッパの国で、英語は必要だろうか。これも、仕事と環境による。英語が不要な環境にいても、英語ができることで新たな仕事やチャンスを得られることはある。ヨーロッパのほかの国に移住する可能性も増えるだろう。

現地語を習得する方法いろいろ

よく、海外に住みさえすればその国の言葉が自然にできるようになると考える人がいるようだが、それは違う。幼少時から住んでその国の教育を受ければ現地語はできるようになるが（その代わり、日本語力を伸ばすのに努力が必要となる）、大人になってからは勉強しないと外国語はものにならない。ただ住んでいるだけでは、何年たっても片言程度しかできないだろう。

日本にいるときから現地語を勉強する王道の手段としては語学学校だろう。それ以外にもオンライン教材や学習アプリ、市販のテキストなどを使って独学もできる。インターネット経由で現地のテレビやラジオも聴けるし、ユーチューブで生の言葉に触れるのもリスニングの訓練になるはずだ。

多少言葉が話せるのなら、ランゲージエクスチェンジ（タンデム）という方法もある。これは決まった相手（タンデムパートナー）とおしゃべりを通して、お互いの母国語を教え合うもの。相手は語学教師ではないので、文法などを解説することはできないが、互いに興味のあるトピックを話すことでその国についての理解を深めることもできる。

タンデムパートナーは、SNSのコミュニティで見つけるほか、タンデム募集専用のTandemというアプリもある。たとえ日本にいても、インターネットで現地のタンデムパートナーと話すことは可能だ。現地にいれば、日本関連の施設に聞いてみると見つかることがある。

Guidance

就労ビザに有利な職種と日本人が就きやすい仕事は？

長期で暮らすなら現地就労

P．20で、ヨーロッパで長期間暮らすには滞在許可が必要だと説明した。滞在許可の種類にはいろいろあるが、もっとも現実的なのは就労ビザだろう。就労ビザでヨーロッパ移住を計画しているのなら、日本にいるうちから準備しておきたい。

就労ビザを取りやすい職種

日本人が被雇用者としてヨーロッパで働くには、雇用主側もビザのサポートをするなどの労力がいる。このため、現地人ができる仕事内容にわざわざ日本人を雇うことはない。逆に考えれば、日本人またはその人でなければ務まらない仕事ならば、ヨーロッパで採用される可能性が高くなる。

それはどのような仕事だろうか。現在もっとも有利なのは、ヨーロッパで求人の多いＩＴエンジニアだろう。日本の会社でＩＴエンジニアの経験を積んでいる人は多いだろうし、未経験者もまずは日本で経験することができる。日本で実績があり、さらに英語（職場によっては現地語）ができれば、ヨーロッパでの就職は夢ではない。また、ＩＴエンジニアは高度資格所有者としてEUブルーカード（P．22）も取得でき、永住権への道のりが一般の就労ビザに比べて短いというメリットがある。

IT系で英語ができると就職に有利

ＩＴ分野ではなくても、日系の会社や日本と関わりのある現地企業で仕事が見つかることもある。機械・建築系エンジニアや営業、マーケティング職の求人もある。

もし現在日本で働いていて、特に専門のスキルが培われないような仕事ならば、思い切って日本で転職してキャリアを積んでからヨーロッパに行く選択肢もあるだろう。

ヨーロッパの職探しは日本からでも可能だ。転職エージェントや転職サイトを活用しよう。ビジネス特化型ＳＮＳの LinkedIn を利用して人脈を作ることもできる。

手に職があると強い

手に職があると、いつの時代にも比較的強い。

日本食調理師はその代表例だろう。日本食の調理技能があれば、日本人を雇用する立派な理由になる。日本食レストランはヨーロッパ各国にある上に、スーパーなどテイクアウトの寿司コーナーも人気なので（Ｐ．１８３）需要はある。近年では寿司や正統派の和食だけでなく、ラーメンなども浸透してきているので、広い意味での日本食市場はこれからも増える可能性はあるだろう。調理師として働くには、現地の調理師免許を取得しなければならない国もある。

美容師も手堅い職業だ。ロンドンやパリなど日本人が多い大都市では、日本人経営の美容室が数多くあり、そこでは日本人美容師が求められている。なお、調理師同様、現地の免許が必要な国もある。

調理師も美容師も、店のオーナーやスタッフ、お客が日本人ならば、現地語や英語の能力はそれほど求められない。それよりも経験とスキルが重視されるので、日本でしっかりと実績を積むのが現地就職への近道だろう。ただし、どの職業も経験とスキルに語学力が加われば、一気に有利になることはいうまでもない。

数年ならリモートワークも

フリーランスビザがある国では、日本の仕事をヨーロッパで行うという方法もある。ただし、その場合は収入が日本円になるため、長期的に見れば現地通貨で稼ぐ場合に比べて不安定要素は大きい。また、日本からの仕事だけではビザが下りないこともある。５年、10年単位でフリーランスとして暮らしたいのなら、やはり現地のクライアントから収入を得ることをおすすめする。

Guidance

ヨーロッパの大都市は住宅不足

住まい探しはとても困難 とにかく早めに探しはじめよう

ヨーロッパ暮らしの上で高いハードルのひとつが、住まい探しだろう。ヨーロッパの大都市は需要が供給を上回っており、貸し手市場になっていることが多い。家賃も上昇傾向にあり、日本の大都市に比べて決して安くはない。大家にもよるが、外国人である日本人が借りるのは、現地人よりも不利なこともある。

長期で滞在するなら、定住所がないと申請できない手続きもある。落ち着いて暮らすためにも、できるだけ早く住まいを見つけたい。

プチ滞在なら長期旅行の感覚で

ただし、ビザ不要のプチ滞在なら定住所がなくても構わないので、旅行の延長線上の感覚で探せばよく、ハードルは格段に下がる。プチ滞在としての住まい探しの方法を挙げてみよう。

◆Airbnb

もはや知らない人はいないほど定着した、民泊のAirbnb（エアビーアンドビー）。普通の住まいをAirbnbというプラットホームを通じてゲストに貸し出す方式だ。ゲストにとってはホテルより格安で、部屋のオーナー（ホスト）を通じてその地の暮らしを感じられるというメリットがある。長期滞在の場合は割引価格が設定されている物件もあるので、プチ滞在しやすいといえる。ただし、ロケーションが便利でなかったり、あまり治安のいいエリアではないといった可能性もある。事前のチェックは欠かせない。

◆現地在住者の物件の一時貸し

ヨーロッパに住む日本人が、一時

帰国などの理由で自分の住まいを一時的に貸すことがある。現地在住者が実際に暮らしている家なので、その地のリアルを感じることができるだろう。日本人同士なので、言語面での不安がないのもメリットだ。

デメリットとしては、Airbnb同様にロケーションがよくない可能性があること。また、貸し出す人が住まいを誰かとシェアしている場合、その人と暮らすことになる。そうしたことも含め、借りる前に宿泊代や支払い方法・時期、使ってよい備品、鍵の受け渡し方法などをきちんと確認しておきたい。

一時貸し物件を見つけるには、現地日本人向けの情報サイトをチェックするのがいちばんだ。代表的なのはMixB（ミックスビー）（注1）で、ヨーロッパ4ヵ国のページがある。

◆ホステル

ドミトリー（相部屋）での連泊は疲れるので不向きだが、シングル部屋のあるホステルもある。しかし、滞在が1ヵ月近くなると、やはり料金的にかさむだろう。

長期滞在用住まいは早めに探す

ビザ免除の期間を超えて長期滞在するのなら、早めに探しはじめるのに越したことはない。冒頭のように、ヨーロッパの大都市で暮らすのなら住まい探しはかなり困難だ。単身ではなく家族で暮らすのなら、間取りや周囲の環境へのこだわりもいっそう強くなるだろうから、できるだけ早い時期から探したほうがいい。

住まいの探し方

エージェントを利用すれば、日本にいるときから住まい探しはできる。ただし、その分割高になることは避けられない。手数料や家賃をできるだけ抑えたいのなら、前述のAirbnbや一時貸しなどでヨーロッパ入国後1～2ヵ月ほど住める物件を日本から押さえておき、入国後に集中して住まいを探す方法はある。しかし、その期間に決まらない可能性はあるので、条件を緩めたり、さらなる一時的な住まいを探す必要も出るかもしれない。

ヨーロッパの大都市中心部は集合住宅が基本だ。築100年以上の住宅はヨーロッパでは価値があり人気も高いが、水道管などの老朽化によるトラブルもよくある。内見の際は、可能ならば現地人に同行を依頼し、問題になりそうなポイントを確認してもらうほうがいい。

注1：イギリス版：https://uk.mixb.net/　フランス版：https://fra.mixb.net/
ドイツ版：https://ger.mixb.net/　イタリア版：https://ita.mixb.net/

Guidance

大切なお金の管理

ヨーロッパで暮らす前に知っておきたい銀行口座のこと

ヨーロッパ暮らしをする際に重要な、お金の管理。滞在期間によってその方法も変わってくる。

プチ滞在なら現地で引き出す

ビザ不要期間で暮らすプチ滞在なら、日本の銀行口座で国際デビットカードや国際プリペイドカードを作り、現地のATMから現地通貨で出金するという方法が便利だろう。デビットカードはクレジットカードと異なり、使ったらすぐに口座から引き落とされる。プリペイドカードなら、あらかじめチャージした額だけ使えるので、使いすぎを防げる。

それ以外にクレジットカードも必要だろう。クレジットカードで決済する場合は暗証番号の入力が主流で、近年は端末にかざして決済するコンタクトレスのカードも多い。

長期滞在なら
現地で銀行口座を開設する

滞在が長期になるならば、家賃や公共料金の支払いを行うため、現地で銀行口座を開設することになる。口座を開くために必要な書類は国によって異なるが、基本的にはパスポートや住所の証明を求められることが多い。銀行によっては口座維持費を取られることもあるので、事前に確認しておきたい。どの銀行で口座を作るかは、支店の数や場所、サービス内容など自分にとって便利なところを選べばよいだろう。

近年ヨーロッパの銀行ではマネーロンダリング防止などの面から、新規口座の開設が難しくなっているという声もある。そこで、既存銀行と同様の金融サービスをスマホで利用できる、実店舗を持たないチャレンジャーバンク（スマートバンク）が台頭している。

代表的なのはイギリス発のRevolut（注1）やMonzo（注2）、ドイツ発のN26（注3）だ。いずれもヨーロッパ諸国の多くをカバーしているので、ヨーロッパに住んでいれば、スマホ1台ですぐに口座が開けるのがメリットだ。口座開設に必要な書類はパスポートや住所証明、滞在許可など各チャレンジャーバンクによって多少異なるが、既存銀行よりも格段にシンプルだ。フリーランスやワーホリ滞在者にも開設しやすいといえる。現地の既存銀行で口座が開けずに困ったら、チャレンジャーバンクを利用してみよう。

非居住者になると日本の口座は持ち続けられない？

ヨーロッパで長期に暮らしはじめる前に注意したいのは、日本の銀行口座だ。1年以上海外に住み、日本の住民票を抜いて非居住者となった場合、多くの日本の銀行では口座を解約しないといけない規則がある。しかし、急に日本の口座がなくなっては困るだろう。

三菱UFJ、三井住友、SMBC信託銀行プレスティア、りそな、ソニー、みずほの各銀行には、非居住者でも口座を保持できるサービスがある。ただし、日本の居住者とまったく同じことができるわけではない。ゆうちょ銀行は第三者に委任すれば保持できる。

まずはヨーロッパ暮らしを計画している時点で、自分の口座がある銀行が非居住者に対応しているかどうかを調べよう。そして、もし解約しなければならない場合は、早めに非居住者に対応している銀行に口座を作ったほうがいいだろう。

海外送金ならWise

日本の口座を維持しておけば、日本から現地の口座に送金も可能だから、万一のときにも安心できる。これまで海外送金といえば、既存の銀行窓口から高額な手数料と独自の為替レートによって、高いコストをかけてするものだった。しかし、いまはWise（注4）を利用して送金するのが圧倒的に安くて手軽だ。最初にインターネットでアカウント登録を行えば、ネットで素早く安く、現地の口座に送金ができる。

注1：https://www.revolut.com/　注2：https://monzo.com/
注3：https://n26.com/　注4：https://wise.com/jp（旧称TransferWise）

Guidance

暮らしはじめにかかるお金はどのくらい？

生活当初にかかる費用を見積もろう

「お金が貯まったらいつかヨーロッパで暮らしたいなあ……」

そんなふうに考えているだけでは、いつまで経っても夢は実現しない。本当にヨーロッパ生活がしたいのなら、どの程度の資金が必要か目処を付け、それに向かって目標を立てよう。

生活当初はある程度まとまった金額が必要になる。どんなことにお金がかかるだろうか。

◆パスポート取得

海外へ行くのにパスポートがなければはじまらない。パスポートは10年間有効と5年間有効の2種類があり、20歳未満なら5年間有効のものしか申請できない。20歳以上なら、どちらも申請できる。料金は10年有効のパスポートで16000円、5年なら11000円（12歳以上）または6000円（12歳未満）となっている。

◆航空券

航空券の種類やルート、購入・出発時期、現地滞在期間などで金額が大きく変わる。一般的に直行便よりも乗り継ぎが多いルートのほうが安い。格安航空券では、往復で10万円前後が主流だろう。

ただ、それは往復の日程を確定して購入する航空券の場合だ。長期滞在ではオープンチケット（搭乗区間だけを指定し、利用するフライトは後から決められる航空券。復路の日が未定の場合に便利）を購入するこ

食品は安いので、自炊で節約できる

とも多いと思われるが、オープンチケットは通常の航空券よりも割高となる。

◆海外旅行保険

これも滞在期間や補償内容によって金額は大きく変わる。海外旅行保険比較サイトなどを使って、思い描いている滞在期間の保険料金を見積もってみよう。

◆荷物輸送

長期滞在なら、身の回りのものを船便や航空便で送ることになる。これも送る個数や重さで料金が変わるので日本郵便（注1）やヤマト運輸の国際宅急便（注2）などで料金を見積もれる。なお、家族での長期移住といった荷物が多いケースでは、欧州ヤマト運輸（注3）や日本通運（注4）などが海外引越しサービスを手がけている。

◆代理店への支払い

留学手続きや住まい探し、ビザの申請などで代理店に依頼することもあるかもしれない。依頼内容にもよるが、数万から10万円を超えることもある。ビザ申請など自分でできることはいろいろあるので、金額と相談しながら代理店に依頼すべき内容を絞っていくとよい。

◆家賃

生活費の中で大きな割合を占めるのが家賃。P．34でも触れたが、ヨーロッパの大都市はどこも需要に対して物件が不足しており、住まい探しは相当難しくなっている。なるべく早く住まいを決めたいために、物件探しの際に家賃の上限を上げざるを得ない。契約時には通常の家賃のほかに敷金に相当するものを払うこともあるので、その点も考慮しておいたほうがいい。また、家具や家電が付いていない場合は、それらも買い揃えることを頭に入れておこう。

◆学費

留学する場合は学費が発生する。大学の学費が無料または安価な国もあるが、ＥＵ加盟国以外の留学生には学費が発生することもある。語学学校や専門学校は学費のほかに教材費などもかかる。

◆そのほかの生活費

生活費の目安は、それぞれの国の章で説明しているので参考にしてほしい。大まかな傾向としては、自炊を中心にすれば日本よりも食費は抑えられるだろう。学費やそのほかの特別な出費を除き、1ヵ月の生活費（家賃・食費・雑費など）はロンドンやパリの大都市なら、最低でも17万円は見ておいたほうがいい。

注1：https://www.japanpost.jp/　注2：https://www.kuronekoyamato.co.jp/ytc/customer/send/services/oversea/
注3：https://www.yamatoeurope.com/japanese/kokusaihikkoshi.htm
注4：https://www.nittsu.co.jp/kaigaihikkoshi/index.html

Guidance

快適なヨーロッパ暮らしをはじめるために

日本を出発する前に済ませておくべき手続き

入国後の当面の住まいの確保や日本の銀行口座対策のほかに、日本にいるうちに準備しておくべき項目を挙げておこう。

◆パスポート

すでに持っている人は有効期限に注意。シェンゲン加盟国（P．18）滞在ならば加盟国からの出国予定日から3ヵ月以上残っていることが条件だ。滞在国の条件を確認しておこう。取得詳細は外務省のHP（注1）で。

◆航空券購入

航空券には正規航空券、PEX航空券、格安航空券といった種類があり、予定変更などの条件は航空券の種類によってさまざまだ。復路搭乗を無断キャンセルすると罰金を課せられる可能性がある。一方、片道航空券だと入国審査でトラブルが生じないとも限らない。大使館や航空会社になど確認し、滞在プランに合った航空券を探していこう。

◆スマートフォン

日本からSIMフリーのスマホを持参すれば、現地のキャリア（携帯電話会社）で契約後にSIMを入れ替えるだけでスマホ本体を引き続き使える。プリペイドSIMカードもある。もし自分のスマホにSIMロックがかかっていれば、条件次第で解除は可能。契約しているキャリアに確認を。

◆海外旅行保険

滞在期間中をカバーできる海外旅行保険を選ぶ。クレジットカード付帯の旅行保険では、補償内容が不足している場合もあるので事前に確認したい。ワーホリ滞在だと、保険の補償内容を指定している国もある。

注1：https://www.mofa.go.jp/mofaj/toko/passport/pass_2.html

Guidance

移住後の道に正解はない
永住をめざす、さらに移住、日本に帰国 自分にとって最善の道を

ヨーロッパで数年暮らせば、生活も安定して次のステップを考えはじめるのではないかと思う。将来的に永住権取得をめざしたり、別の国に移住してみたり、日本に帰国したり、自分にとって最善と思われる道を進めばよい。正解はない。

永住権は、滞在許可を得て一国に一定期間滞在し、種々の条件を満たすことで取得できる。たとえばドイツで永住権と一般的に呼ばれているものには「無期限の定住許可」と「EU継続滞在許可」の2種類がある。ただし、それらを取得しても一定期間国またはEUを離れれば効力を失う。つまり、一般的に永住権と呼ばれているが、正確には更新する必要のない無期限で住める許可であり、厳密には「永住する権利」を意味しない。

また、これもときどき誤解されるのだが「無期限の定住許可」または「EU継続滞在許可」を取得しても、国籍は日本のままだ。滞在国で国籍を取得しない限り参政権がない国もあるし、その国民とまったく同じ権利を持てるわけではない。永住と国籍取得は別の事柄になる。

まずは1年後、2年後の目標やなりたい姿をイメージしておけば十分だと思う。日本にいるうちから永住を考えても、現地では出会いや偶然によって思いがけない方向に進んでいくものだ。日本では想像もしていなかった新たな道が開けてくるだろう。だからこそヨーロッパで暮らすのは面白い。ヨーロッパで多くの経験をし、人生が豊かになったと思えたら、素晴らしいではないか。

Interview

永住権と国籍取得は別
現地の国籍を取った理由

Kさんは結婚がきっかけで長年ドイツに住み、熟考の末にドイツ国籍を取得した。日本は二重国籍を認めていないため、現地国籍を取得することは日本国籍を失うことを意味する。そのせいか、現地国籍を取る人は少ない。Kさんはなぜドイツ国籍を取得したのか。

国籍を取得した3つの大きな理由

Kさんは「自分が年をとってからの家族の負担を減らしたい、自分が暮らす社会に積極的に参加したい、未来をもっと考えたいという3つが国籍を取った大きな理由です」と答える。

家族の中で、当時ドイツ国籍がなかったのはKさんひとり。日本国籍でいる限り、永住権があっても身分証明証として日本のパスポートを10年ごとに更新しなければならない。自分が年老いて自力で更新できなくなった場合に、更新やそのほかの手続きなどで家族を煩わせたくはなかったという。

また、ドイツでは国籍を取らない限り、外国人に選挙権はない。ドイツ在住日本人に投票権があるのは、日本の国政選挙に対してだ。永住権があっても、それは変わらない。

「海外暮らしが長いと日本の生活に実感がなくなり、実情がわからないのに投票していいのだろうかと思うようになりました。それに、自分たちが暮らしているドイツの社会に対して、もっと参加したかったんです」

国籍を取って現地の参政権を得ることは、未来を考えることにもなる。長い間考えた結果、ドイツ国籍を取ったが「日本人としての思い出や要素を失うわけではない」と、Kさん。国籍と、日本で形成したアイデンティティは別のテーマだと考えている。

国籍は自分がどう生きたいかという個人的な問題だ。Kさんも「人それぞれの選択があります」というように、答えは自分で見つけるものだろう。

United Kingdom

［第2章］イギリス

欧州最大の日本人都市
ロンドンを擁する

文・山田志桜里

United Kingdom

4つの国からなる連合王国

世界屈指の観光都市を持つ歴史と伝統にあふれたイギリス

イギリス
United Kingdom of Great Britain and Northern Ireland

■人口……6,680万人
■GDP……2兆7436億ドル
■ひとりあたりGDP……41,030ドル
■実質GDP成長率……1.24%
■日系企業(拠点)数……951社(前年比－1.6%)
■在住日本人数……66,192人(前年比＋9.2%)

イギリスを構成する4つの地域

イギリスの正式名称は「グレートブリテン及び北アイルランド連合王国」で、イングランド、ウェールズ、スコットランド、北アイルランドの4つの国から構成されている。それぞれの国が、首都や国旗、独自の文化を持ち、同じイギリス国内でも、地域によってさまざまな文化に触れられるのが魅力だ。

全人口の80パーセント以上にあたる約5600万人がイングランド在住。続いて、スコットランドが約540万人、ウェールズが約315万人、北アイルランドが約190万人となっている。

イギリスは本当に雨が多い？

雨が多い国というイメージがあるイギリスだが、年間降水量は日本の半分以下。日本のように1日中雨が降ることは少なく、1日のうちに天気が変わりやすいのが特徴だ。

降り続くことが少なく、濡れても乾きやすいため、多少の雨では傘をささないイギリス人も多い。

また、北海道より緯度は高いが、ロンドンの冬の平均気温は2度前後。北に位置する都市としては、比較的

温暖な気候であるといえる。

世界屈指の観光都市ロンドン

マスターカード社が毎年発表する「世界渡航先ランキング（２０１９）」では、首都ロンドンの外国人旅行客の数が年間１９０９万人と、バンコク、パリに次いで世界3位にランクイン。ロンドン中心部は観光客の割合が多く、英語以外の言語が飛び交っていることが少なくない。

ビッグ・ベンの愛称で知られる国会議事堂や、セントポール大聖堂などの歴史的な建造物から、本場のサッカー観戦、ミュージカル・舞台などのエンターテインメント。アフタヌーンティーやパブなどの食文化まで、観光のコンテンツも豊富だ。

首都ロンドンの象徴「ビッグ・ベン」

ロンドンから足を延ばせば、ピーターラビットの故郷として知られる湖水地方や、歴史あるマナーハウスが点在するコッツウォルズなど、絵葉書の世界さながらの光景や雄大な自然も楽しめる。

ＥＵ（欧州連合）脱退

近年、世間を騒がせ続けていたブレグジット（ＥＵ離脱）問題だが、２０２０年1月31日をもって、47年間の加盟に終止符を打った。

２０２０年12月末までは、離脱による激変を緩和するための「移行期間」が設けられ、移行期間中はＥＵ法を遵守し、予算も拠出するため、ＥＵとの関係は離脱前とほぼ変わらず、ＥＵ域内の自由移動も変わらず可能であった。

双方の合意があれば最長2年の延長が可能とされていたが、12月24日に無事ＥＵとの通商交渉などを終え、現地時間の２０２０年12月31日に名実ともにＥＵを離脱した。

United Kingdom

ビザの種類もいろいろ

就労ビザから配偶者ビザまでこれがイギリスの一般的なビザだ

就労や就学に関わるおもなビザは、Tier（カテゴリー）に分けられており、投資家や起業家など、高度技能者向けのビザが「Tier1」、現地採用や企業内転勤などの就労ビザが「Tier2」、長期留学の学生ビザが「Tier4」、いわゆるワーキングホリデーにあたる短期就労ビザが「Tier5」。就労や留学以外のビザには、配偶者ビザや結婚ビザなどがある。

ビザの取得には、PBS（ポイントベースシステム）が導入されていて、英語力や資金力、必要書類などの各項目に点数が割り振られており、ビザの申請には必要点数を満たさなければならない。必要点数はビザごとに異なり、中にはPBSが導入されていないビザもある。

オンラインでビザ申請書の記入と申請料金の支払いをし、必要書類をビザセンターに提出するのが、基本的な申請の流れ。国内のビザセンターは東京・大阪の2ヵ所のみである。

一般的な就労ビザ

就労ビザ（Tier2）の中にも複数のカテゴリがあり、一般的なものは、現地採用者として働くTier2 Generalである。

General のビザ申請には、雇用主となる現地企業が内務省から取得するCoS（スポンサーシップ証明）、英語力証明のIELTSスコア、資金証明が必要。申請料はビザの期間や職種によって異なる。

Tier2 General の年間発給数は決められており、内務省によって月ごとのCoS発行数が制限されている。申請数が月の発行数を上回った場合、

ＰＢＳに基づいて、総合ポイントが高い申請者から優先的にビザが発給される。

留学生向けの学生ビザ

６ヵ月未満の語学留学の場合、渡英前のビザ申請は不要だが、６ヵ月以上の場合は、最長11ヵ月滞在可能な短期学生ビザ（Short-Term Study Visa）の取得が必要。申請には入学許可証、資金証明などが必要で、申請料金は１８６ポンド。

18歳以上で現地の学校に通う場合は学生ビザ（Tier4）の取得が必要。申請には、学校から発行されるＣＡＳ（入学許可）番号、英語力を証明するIELTSのスコア、資金証明が必要となる。申請料金の３４８ポンドに加えて、イギリスの国営医療サービス（ＮＨＳ）を利用するための健康保険付加料の支払いも必要だ。

申請に関する情報はGOV.UKサイトで

毎年人気のＹＭＳビザ

毎年１０００人に発行されるＹＭＳ（ワーキングホリデー）ビザは、フルタイムの就労が可能で、最長2年間自由に滞在することができる。人気のため抽選制となっており、１月と7月に分けて抽選が行われる。

18歳以上30歳以下で、２５３０ポンドの資金証明ができることが条件。申請料金は２４４ポンド、健康保険付加料は９４０ポンドだ。

結婚での移住

イギリス人パートナーとの結婚で移住をする場合は、配偶者ビザの取得が必要だ。結婚証明や住居証明、資金証明など必要書類は多岐にわたり、申請料は１０３３〜１６４３ポンド。健康保険付加料も別途必要。

６ヵ月以内の結婚を条件に、婚約者として渡英する婚約者ビザ（結婚ビザとは異なる）も。ただし、ビザが切れる前に配偶者ビザを申請する必要があり、申請料金が2倍かかる。

Interview

就労ビザ取得体験談
早めの準備が大切！ 時間と出費を念頭に

現地採用者として、ロンドンの日系企業で働くSさん。ワーホリビザ（Tier5）で渡英後、フルタイムで働いていた会社から現地採用のオファーをもらい、就労ビザ（Tier2 General）を取得するに至った。

ビザ申請には、内務省から発給されるCoS（P.46）が必要で、CoSの取得には時間がかかるケースも多い。

「CoSが発行されたら、すぐに申請を進められるよう、就労ビザの話が出てすぐ、有効期限が迫っていたパスポートの更新や、IELTS for UKVIの受験予約を行いました。この試験は、ビザ申請の際の英語力証明となるもので、内容は通常のIELTSと同様です。試験日2週前までの予約が必須で、成績が出るまでさらに約2週間。スコアの取得だけで1ヵ月ほど必要です」と、Sさんはいう。

Sさんの場合、現地採用の話が決まったのが4月。会社が6月にCoSを申請。CoSが発給され、申請準備が整ったのは8月末のことだった。

ワーホリビザから就労ビザへの切り替えは、イギリス国内での手続きができず、ビザ取得のために一時帰国を余儀なくされた。

ビザ申請料と健康保険付加料に加えて、IELTSの受験料、パスポート更新料、日本への渡航費など、ビザ取得のための出費はかなり大きい。

雇用主によって違いはあれど、ビザ申請のための諸経費は自己負担になるケースがほとんどだという。

通勤手当は支給されないことがほとんど

Interview

憧れたイギリスの大学へ 熱意で勝ち取った留学ビザ！

2020年３月に学生ビザでイギリスに移住し、コンピューターサイエンスを学んでいる小嶋諒樹（こじまりょうき）さん。以前から、大学留学に興味はあったが、語学力や資金面の点から、一度は日本の大学に入学。その後イギリスワーホリに挑戦し、働いて資金を貯めながら英語力を磨き、見事イギリスの大学進学の夢を叶えた。

「海外進学を決意したのが遅かったので、周りよりも年齢が上で。３年で卒業できる点も、イギリスを選んだ決め手でした。大学選びは、ランキングも参考にはなりますが、各大学で研究内容が大きく異なるので、学びたいカリキュラムの有無を確認するのがポイントです」

大学に出願したのは10月頃。志望動機書、他者からの推薦状をオンラインで提出し、合格通知を待つ。１月に入学許可がおり、ビザ申請に必要なCASを受け取った。３月の渡英予定に対し、申請を行ったのは１月中旬。逼迫したスケジュールだったが、２月頭に無事ビザが下りた。

「一度ワーホリビザの取得経験があるため、手続きはスムーズでしたが、できるだけ早めの準備が吉だと思います。不安な方は留学エージェントでビザの相談もできます」

また、ビザセンターでの書類提出時には、生体認証登録として指紋採取と顔写真撮影が行われる。写真は、BRP（現地での身分証となる）の顔写真に使用されるため、ビザセンターに行く際は、提出書類の再確認はもちろん、きちんと身支度をしておくのも、小嶋さんからのアドバイスだ。

ビザ申請の準備は余裕を持って進めよう

United Kingdom

生活費は東京より安い!?
知っておきたいVATの仕組み イギリスの物価と生活費

世界各都市の物価や生活費をデータベース化したNUMBEOによる生活費が高い都市ランキング（２０２１年調べ）では、ロンドンが37位、東京が24位にランクイン。

物価が高いイメージのあるイギリスだが、首都の生活費のみを比べると東京のほうが高い。

イギリスの付加価値税

イギリスでは、物やサービスを購入する際にＶＡＴ（付加価値税）と呼ばれる税金が発生する。税率は20％（Standard）、５％（Reduced rate）、０％（Zero rate）の3種類。

基本の税率は20％だが、生鮮食品やベビーフード、子ども服など、生活に必要とされるものは０％となっている。

アルコール飲料やジュース、アイスクリーム、ポテトチップスなどの菓子類、スーパーで販売されている惣菜など、いわゆる嗜好品にあたる食品は20％だ。

自炊だと安い？　食費事情

前述の通り、ほとんどの生鮮食品や乳製品には課税がされないため、スーパーによって差はあるものの、りんご6個で約1ポンド、じゃがいも8個で約1ポンド、牛乳2リットルで約1ポンドと、自炊に必要な食材は日本よりも安価に手に入ることが多い。

外食の場合は、飲食代金に20％のＶＡＴが課税される上、チップの一種であるサービスチャージを支払うことが一般的なため、外食1回あたりの平均額は日本よりも大幅に高くなる。

NUMBEO の統計によると、安価な飲食店での一食あたりの平均は15ポンド、ミドルクラスのレストランで2人でコースを食べる際の平均が60ポンド。

１ヵ月あたりの食費は、外食の頻度に左右され、ひとり暮らしで自炊を中心に生活をする場合は、１ヵ月あたりの食費は２００~３５０ポンドが目安といえる。

イギリス国内の交通費

ロンドン市内の移動は、バスと地下鉄（ＴＵＢＥ）が基本だ。交通ＩＣカード「オイスターカード」を利用する場合、バスは一律１・５ポンド。地下鉄は、時間帯と利用区間によって運賃が異なるが、ロンドン中心部（ゾーン１）からの移動の場合、初乗り料金は２・４ポンド。

日本では通勤にかかる交通費を会社が負担してくれる場合が多いが、イギリスでは基本的に自己負担。郊外ほど家賃は抑えられるが、交通費が高くつく場合があるため要注意。

自炊に必要な食材は比較的安価。ロンドン市内の移動はバスと地下鉄が基本

１ヵ月のおもな生活費

地域によって家賃は大幅に異なるが、ロンドン市内でフラットシェア（P．60）をする場合の相場は、月５００ポンド~７００ポンド。

携帯代に関しては、格安ＳＩＭなどを利用すれば、無制限の通話やテキストメッセージの送受信がついて、月10ポンド以下で抑えられる場合も。キャリアを選べば、日本に比べ安価に使用できる。

自炊を基本とした場合、食費や交通費、携帯やネットなどの通信費を含め、１ヵ月の生活費は１０００~１３００ポンドは見ておきたい。

United Kingdom

イギリスの治安で気をつけるポイント

夜のひとり歩きや携行品には注意！治安良好の人気エリアはここだ

移住に際して気になるのが、現地の治安。世界的にみると、治安は比較的良好とされているイギリスだが、治安のよさで知られる日本と比較すると、もちろん犯罪率は高い。

スリ被害に要注意！

日本人が巻き込まれる犯罪トラブルの多くは盗難。公共交通機関での移動中や、観光名所などの人が多い場所で、財布や携帯電話を盗まれるケースが多発している。

飲食店で、注文やトイレで席を離れる場合は荷物を席に残さない。財布や携帯電話は、ズボンの後ろポケットなど、他人の目につきやすい場所に入れないなど、携行品には十分に気を遣っておきたい。

また、イギリスのATMは、人通りの多い道路に面した建物の外壁に設置されているものも多い。利用の際は周囲に気を配り、ひとりでの利用はなるべく避けておこう。

日本人に人気の都市

イギリス在住の日本人の90％以上はイングランド地区に住んでおり、うち約半数にあたる3万人以上が首都ロンドンで暮らしている。

人口や移民の数が多く、犯罪率は決して低くはないものの、語学学校や日系企業が多く、留学や就職での移住では定番の都市だ。日本人が住みやすい環境（P．64）が整っているのも、人気の理由だといえる。

留学や研究職では、学術都市と呼ばれる、ケンブリッジやオックスフォードも人気が高い。他都市と比べても比較的裕福な地域であり、上流

再開発が進むイースト・ロンドン

階級の学生も多いことから、国内でも治安のよいエリアとして知られている。

　イングランドに次いで、日本人在住数が多いのはスコットランド。大都市も多いが、イングランドに比べておおむね治安は良好だ。

ロンドン市内の人気エリア

　ロンドンで日本人に人気の高いエリアとして、ウエストアクトン、セントジョンズウッドが挙げられる。

　ウエストアクトンは、イギリス唯一の日本人学校や、日系病院があることから、子連れのファミリー層に人気の地区だ。日系スーパーや日系の飲食店も充実している。

　高級住宅街として知られるセントジョンズウッドは、駐在や現地就職での単身者にも評判がよい地区。日系病院もあり、子連れでも安心だ。さらに北側のフィンチリー地区も、日系幼稚園や日本語補習校があり、日本人に人気のエリアといえる。

サウス・イーストロンドンは危険？

　治安が悪いとされていたロンドン南・東側も、再開発が進み、おしゃれなお店や新築物件が増え、注目のエリアとして成長を遂げている。

　危険地区として恐れられていた昔のイメージとは変わってきているが、人気のない場所での行動や夜道のひとり歩きなどは、どの地区にいても気をつけたい。

United Kingdom

イギリスの就職事情

日本人が就ける仕事は？ 就活の流れと必要な英語力

現地企業への就職はもちろん、YMSビザなどの就労ビザ取得を考える際に、気になるのがイギリスでの就職事情。

ロンドンに拠点を置くリクルートメント会社、ケンズリクルートメント Kens Recruitment (https://kensrec.com) にイギリスの就職活動について話を伺った。

日本人が就きやすい仕事と給与

日本人の就職先として多いのは、クライアントが日本人の企業。金融やコールセンター、リロケーション（引越、運輸）、不動産、飲食店など、カスタマーサービス系の職種がおもである。

また、会計士や弁護士（おもにビザ取得関係）などの、日本人を相手にした専門職。本社がイギリスにあり、支店が日本にある企業などのリエゾン（仲介・連絡）業務にあたる翻訳業務などで活躍している日本人も多い。

給与の目安は一概にはいえないが、日系企業か現地企業かの違いよりは、業界やビザの種類により給料基準が異なり、同じ業界であっても、YMSビザ（P.47）の場合は給料基準が下がる。日系企業の場合は、同じ企業であっても、駐在員と現地採用では、駐在のほうが給料基準が高くなる。

YMSビザでの就職

ビザの種類だけなく、個人のスキルを重要視する企業もあるが、最長2年という期限付きのYMSビザでの就職活動は、ビザの残りの期間（勤務可能期間）が重要となる。

採用活動は人材への投資であるため、基本的には長期採用の募集が多い。ビザの残存期間が1年半を切ると就職が難しくなり、1年を切るとさらに困難となる。

稀（まれ）ではあるが、1年未満のポジションでの採用がある場合は、YMSが有利になることもある。

イギリスでの就活の流れ

エージェントを利用する場合は、日系企業でも現地企業でもほぼ同じ流れだ。まずはエージェントにCV（履歴書）を登録し、エージェントと面談し、興味のある職種や働き方をすり合わせる。案件の紹介後、エージェントが企業にCVを送り、企業での面接となる。

エージェントを通さない場合は、企業にCVをメールか郵送で直接送ったあと、「CVを見ていただけましたか？」と電話でフォローアップするのがポイントだ。基本的に返事はないものとして、電話の際に自分を売り込む準備をしておこう。

エージェントを通した場合、企業間とのやり取りをすべて任せることができるため、個人の負担を大幅に減らすことができるが、手数料が発生したり、エージェントを通しての採用がない業種があったりと、エージェントを通したほうがよいのかは一概にはいえない。

新型コロナウイルスの影響によって、体力が落ちている企業は多いが、その状況下でも、あえて採用したい人材はある。現在の採用情報の傾向では、そうしたハイクラス案件の割合が高まっている。

最重要視されるとまではいかないが、日本での実務経験や職歴が見られることも多いため、CVでは日本での就業経験もしっかりとアピールしておきたい。

職種によって異なる必要とされる英語力

必要な語学力は職種によって異なるが、日本人向けのカスタマーサービスの場合、英語力よりもむしろ丁寧な日本語が求められる。日本人向けのヘアサロンや飲食店などでは、英語力はほぼいらないケースも多くある。

現地人向けの専門職であれば、ネイティブとスムーズに会話ができるプロフェッショナルな英語力。現地向けのセールスであれば、加えて交渉スキルも求められる。

Interview

ワーホリが導いたイギリス現地採用
勤務先選びで広がる可能性

現在、ロンドン市内の日系不動産会社で働くTさん。日本の不動産会社に新卒採用となり6年間勤務した後、オーストラリア、フィリピンでの海外経験を経て、ワーホリビザ（Tier5）でイギリスに移住した。

渡英後すぐ、人材派遣会社に登録し、職探しを開始。過去のキャリアを活かして、現在の会社に入社が決まった。6年のキャリアがあるとはいえ、法律や書面の書き方など、すべてが異なるため、一から覚え直し。日本での形式は通用せず、実務に慣れるまでには、それなりの努力を要した。

入社から約1年後、ワーホリビザの期限が切れる前に、会社から「正式採用をしたい」と、就労ビザ取得の話が持ち上がったという。もともと職探しの時点では、就労ビザを取得することまでは考えていなかったというTさん。「どんなによい働きをしたとしても、そもそもビザ取得のチャンスがない企業も多いんです。私はたまたま就労ビザ取得の機会がある職場だったので、恵まれていました。現地採用を狙っているのであれば、ビザ取得のチャンスがあるかどうかを事前に確認して、勤務先を選ぶのがおすすめです」

その後、日本に一時帰国し、ビザ申請の手続きを行い、取得困難とされている就労ビザを見事取得した。

ビザの申請料金や健康保険付加料、IELTS受験料や一時帰国の交通費など、ビザ申請にかかる諸経費は、自己負担になることが多いため要注意。

ワーホリからの現地採用は企業選びが重要

Interview

仕事もプライベートも楽しめる 夢のイギリスワーホリ実現！

大学時代からワーホリに興味があり、卒業後は接客業の傍ら、情報収集をはじめたという野々村美香さん。他国よりもビザの期間が長いこと、すでに一度交換留学での滞在経験があったことからイギリスを選び、2019年９月末に渡英した。

「到着後はホテルを拠点に、家探しをはじめましたが、すぐには決まらず延泊することになりました。渡英前にもう少し準備をしていればスムーズだったかもしれません」

現在の職場は、日本人向け情報サイトを通して見つけた紅茶店。現地の文化である紅茶に関われること、国際的な職場環境であることが決め手だった。お客の８割が観光客で、同僚の国籍もさまざまだ。

「世界各国からのお客様に英語で接客し、感謝されたときは本当にやりがいを感じます。紅茶の知識もついたので、アフタヌーンティーもより楽しめるようになりました」

外資系企業での勤務経験もあり、英語環境の職場には慣れていた野々村さんだが、同僚・お客が多国籍な中での接客を通し、正しい英語と伝わる英語は違うことを実感したそう。

「もちろん英語力があるに越したことはないですが、英語が完璧でなくても『伝えようとする熱意』が大切なのではないでしょうか」

現在の職場で販売力を磨いた後は、ビザの期間内に、他業種への転職を視野に入れている。休暇は、イギリス国内や近隣諸国の旅行を計画しているそう。自由度が高く好きなライフプランを描けるのも、ワーホリならではの魅力だ。

紅茶店の同僚と仕事後に食事へ

United Kingdom

望むのは本格的な大学留学？語学留学や習いごと留学？

留学の形態もさまざま

アメリカやオーストラリアなどの英語圏の人気留学先に比べると、注目度の劣るイギリスだが、英語教育の歴史は古く、語学学校から大学院まで、質のよい学校も数多く揃う。

本場のブリティッシュイングリッシュを学べることに加え、日本人留学生数1位のアメリカと比較すると、その数は約3分の1。比較的日本人の少ない環境に身を置けることがメリットだ。ヨーロッパ諸国へのアクセスが簡単で、留学中に気軽に他国へ旅行ができるという魅力もある。

教育の質が魅力の英大学

世界的に有名な大学も数多いイギリス。ほとんどの大学が公立で、公的機関である英国高等教育質保証機構（QAA）の厳しい審査を毎年受けているため、教育の質と水準が高く保たれていることも特徴だ。

1年目から専攻科目を学ぶため、学部課程は3年制。日本の高校から進学をする場合は、入学前に大学進学準備コースにあたる「ファウンデーションコース」を履修する。

学費は、大学のある地域や専攻科目によって大きく異なるが、年間約1万ポンド～1万8000ポンド。特にアート系、医学系の学部は、学費が高額になる傾向がある。

出願に必要とされる英語力は、IELTS 5・5～6・0が目安。

社会人にも人気の大学院留学

諸外国のほとんどが2年制なのに対し、イギリスの大学院は1年のみで修士号を取ることが可能。2年通学と比較して、学費を安く抑えられ

自分の目的に合わせた留学を

るという魅力もある。学校や専攻科目によって異なるが、学費の目安は、年間1万~2万ポンド。

時間的・経済的な負担が少ないことから、日本の大学からの進学はもちろん、キャリアアップを図る社会人にも人気が高い。

出願に必要な英語力の目安はIELTS６・５~７・０。英語力が入学条件に満たない場合は、プレマスターコース（大学院準備コース）を受講することで「条件付き入学許可」を出してもらえるケースも多い。

多文化に触れる語学留学

語学学校の数は非常に多く、留学の選択肢が豊富。ヨーロッパ諸国からの留学生も多く、クラスメイトの国籍は多様である。

留学先は観光も満喫できるロンドンが人気。語学学校数も多く価格競争が激しいため、中には年間学費が30万円程度の格安校も。物価の安い地方都市のほうが生活費は抑えられるが、学校数が少なく学費が高い傾向がある。地方都市では、学術都市として有名なオックスフォードやケンブリッジ、南海岸沿いの街ブライトンが人気。

また、誰でも容易に入学ができる一般的な語学学校に加えて、現地学生に交じり、大学寮やキャンパスなどの施設を利用できる、大学付属の語学学校もある。

本場で学ぶ習いごと留学

語学留学や大学・大学院進学のみならず、アロマテラピーや紅茶、フラワーアレンジメントなどを学ぶ、習いごと留学も盛んだ。

アクティビティ感覚で気軽に参加できる短期コースから、資格取得をめざす本格的なコースまでさまざまなプログラムがある。

United Kingdom

イギリスでの家の探し方

思わぬ落とし穴に要注意！新築物件も安心できない

フラットシェアの探し方

留学やワーキングホリデーなど、単身者に人気のフラットシェア。数名でフラット（アパート）をシェアし、バスルームやキッチンなどを共有で利用する。エージェント（不動産会社）を通さず、無料の物件情報サイトを利用するのが一般的だ。

よく利用されるサイトは、日本人向けの物件が日本語で紹介されているMixB（P.35）や、現地のイギリス人も利用するSpareRoom。気になる物件を見つけたら、サイトを通して広告主に直接連絡し、内見の予約を取るのが基本的な流れ。

エージェントの利用

スタジオ（ワンルーム）や、ワンベッドルーム（1LDK）、戸建てを探す場合は、エージェントの利用が一般的。現地エージェントは物件数が多いというメリットがあるが、イギリスの物件事情に対する知識や、高度な英語力が必要となるため、日系エージェントが人気。

現地到着後にエージェントを訪ねるのもいいが、サイト上の掲載物件を見ながら、予算やエリア、渡英時期など、事前にコンタクトを取っておくとスムーズだ。

エージェントを通す物件には2種類ある。大家からの委託で、エージェントがテナント探しだけでなく管理も担当している物件と、エージェントはテナントを探すのみで、大家自身が管理している物件である。日系エージェントによる管理物件の場合は、トラブルの際も日本語で対応してもらえるというメリットがある。

物件チェックのポイント

物件を内見する際、必ずチェックしたいのが水回り。イギリスでは、タンクに溜まった水を熱してお湯にし、必要なときに使うタンク式給湯が多い。この方式では、タンクの大きさにより連続して使用できる湯量が限られている。タンクが小さいと、フラットメイトとシャワー時間やお湯の使用量を調整しなければならないこともあるため要確認。

内見前に確認事項を押さえておこう

カビが発生した場合、退去の際にクリーニング費用を負担しなければならないケースが多い。窓枠やキッチン、バスルームは特に発生しやすいため、風通しにも注意したい。

家賃の相場

フラットシェアの相場は、１部屋５００ポンド～７００ポンド。生活に必要な家具は揃えられている場合が多く、ビル（光熱費）が家賃に含まれているタイプと、毎月別に支払うタイプがある。

ワンベッドルーム（１ＬＤＫ）の場合の相場は、ロンドン市内で２０００～２５００ポンド。ツーベッドルームは２５００～３０００ポンドが目安。新築の場合は、３６００ポンドを超える。

新築物件の落とし穴

木造建築が多く「建て直す」文化のある日本とは違い、古い物件を修繕しながら利用するのが一般的なイギリス。窓枠のゆがみや、水漏れなど、老朽化トラブルはつきものだ。

老朽化の心配がない新築物件も人気が高いが、築１～２年で不具合が出る物件が多いという。そのため１～２年は建築会社の保証が付いているケースが多く、経済的な負担はないものの、新築に住みたい場合は不具合の修繕をひと通り終えた、築３～４年の物件がおすすめだ。

Interview

複数の情報サイトを利用し
家族とともにハンプシャーへ

ロンドンの日系企業でマーケターとして働くNobu Tanakaさん。コロナ禍のロックダウンの影響で一時難航した家探しだったが、2020年6月、ハンプシャーの新居へ、家族とともに無事引越しを終えた。

週2回通うロンドンまで、電車で約80分で通勤できる点、妻の親族が住んでいる地域まで約1時間で行ける点、同じ予算でもロンドンより広い家に住める点を考慮し、引越先のエリアを決めたという。

「不動産情報サイトのrightmoveには、通勤先と希望の通勤時間、物件の予算を入力すると、おすすめのエリアを提案してくれる機能があり、とても便利です」

エリアを決めた後、物件探しに利用したのは、不動産情報サイトのZoopla。希望のエリアから、予算に合う物件を絞り込み、3件の内覧を行った。

「同じ物件を複数の不動産が掲載していることもあります。それぞれ掲載写真も違いますし、価格などの条件が異なることも。また、メールの返信や電話の折り返しが遅いことは、イギリスでは日常茶飯事なので注意が必要です」

在宅ワークに備え、オフィス部屋を確保できるよう、新居は部屋数の多い3ベッドルーム。ガーデン付きのため、1歳になったばかりの息子さんと外遊びも楽しめる。家具なしの物件のため、これから生活必需品を揃える必要があるが、好みの家具家電を探すのも、新生活の醍醐味だ。

ハンプシャー州の州都ウィンチェスター
©Nobu Tanaka

Interview

フラットで思わぬトラブル！確認事項はすべて書面で

2020年１月に、ワーホリビザでイギリスに移住したＭさん。日本人向け情報サイトを通し、渡英当日から入居可能な物件を発見した。

部屋も十分に広く、清潔で、中心部へのアクセスも申し分なし。水回りも綺麗で、お湯もしっかり出ることを確認。この家を拠点に職を探し、職場が決まり次第、通勤に便利なフラットへ引っ越す計画だった。

「入居当日、大家さんから約束事が書かれた書類をもらい、その場ですべて確認してサインをしました。書面上は、ビザの期限である２年の期間が明記されていましたが、次の入居者を自分で見つければ、いつでも退去可能との説明を受けました」。翌週には職場が、３月には職場に近いフラットも見つかった。部屋を引き継いでくれる入居者とも縁があり、事は順調に進むように見えた。

「あろうことか、退去直前になって『退去はできない』と、大家からしつこく連絡がきて。裁判所や移民局に連絡するという脅しまでありました」

退去可能であることは、入居時に口頭確認していたが、書面に残っていなかったことが仇となったのだ。引越し先の大家さんの手助けもあり、事なきを得たＭさんだったが、慣れない土地でのトラブルに神経をすり減らしてしまったそう。

内見時に、物件に問題がないかを確認するのはもちろんだが、信頼できる大家かどうかの見極めと、入居に際する約束事は、細かいところまで書面に残しておくことが重要だ。

口約束は厳禁！　必ず書面で確認を

United Kingdom

イギリスの日本人向け環境
日系スーパーや飲食店が豊富 ロンドンではコミュニティも充実

イギリス在住の日本人数は、2020年現在で約6万人。90％以上がイングランド在住で、3万人以上がロンドンに住んでいる。

日本人コミュニティ

日本人在住者の多いロンドンでは、異業種交流会や子育て情報交換会などの日本人サークルから、ヨガや生け花、料理教室など日本語によるレッスンが豊富。誰でも気軽に参加できるグループが多く、現地の日本人との交流の場に不自由することはない。サークルやレッスンの情報は生活情報サイトMixB、「週刊ジャーニー」や「英国ニュースダイジェスト」といった日本人向けフリーペーパーで得ることができる。

イギリスの日本食事情

近年、世界的に和食が注目されていることもあり、日本食レストランや日系スーパーは数多い。日本と比べると高価だが、日本食調理に必要なものの多くは国内で購入可能だ。韓国系や中国系のスーパーでも、日系商品が取り扱われていることも。また、醤油や味噌、うどんや寿司、チキンカツなど、現地スーパーで販売されている日本食材やデリメニューもどんどん増えている。

日本語で学べる日本人学校

フルタイム通学の日本人学校は、ロンドンのアクトン地区にある「ロンドン日本人学校」のみ。週末や放課後に通学できる補習校は多数あり、スコットランドやウェールズなど、イングランド外の地域にも存在する。

Interview

日本人学校への転校手続き体験談 教科書や文具は日本で調達

2020年３月、２人の息子とともに、夫の単身赴任先のロンドンへ移住したＩさん。移住に際して、小学２年生の長男の転校が必要となった。

「現地校に通うという選択肢もありましたが、海外で暮らすという大きな環境の変化に、学校での言語の壁も加わるとなると、本人への負担が大きすぎると感じました。また、引越し先の学区の学校は人気が高く、すでに定員がいっぱいで。すぐに転入が難しかったこともあり、日本人学校への転入を決めました」

日本の教育制度に則っているため、９月はじまりの現地校とは異なり、日本人学校は４月はじまり。学校から送付された転入手続きのマニュアルに沿って、４月入学に向けて年明けから準備をはじめた。

「手続きの流れは詳しく指示してもらえましたが、指定の機関に教科書を注文して取りに伺うなど、自分主導で動かなければならないことがかなり多いのです。ひとつひとつのプロセスに時間がかかるため、早めに行動しておくのがおすすめです」

また、日本では簡単に手に入る文房具類も、イギリスではなかなか入手できない場合が。マス目の入ったノートなど、子どもが学校で使う文具用品は、渡英前に日本で買い揃えておきたい。

今後、現地校への転校も視野にいれているというＩさん。現地校は人数制限があり、人気の学校は入学の順番待ち（ウェイティングリスト）が設けられている。入学枠に空きが出るのを待ちながら、転校を前向きに検討する方針だ。

入手困難な日本の文房具は渡英前に調達を

United Kingdom

イギリスの医療事情

無料で受診可能なNHSから日本語対応の私立病院まで

イギリスの病院には、公立病院と、私立病院の2種類がある。

NHS（国民保健サービス）は、政府が運営する国営の医療制度。外来治療であれば、基本的に無料で診療を受けられるが、処方箋（しょほうせん）料や歯科治療費など、自己負担が必要なものもある。利用者が多いため、予約が取りにくく、診察を受けられるまでの待ち時間が長くなる傾向がある。

私立病院は、NHSに比べて利用者が少ないため、待ち時間が短いというメリットはあるが、診療・治療費はすべて自己負担となる。自由診療の名目で、医師が自由に診療費を設定できるため、費用が高額となる傾向も。私立病院での受診を考えている場合は、渡英前に海外旅行保険に加入しておくことがおすすめだ。

NHSの利用

NHSの利用には、自分の住む地域のGP（かかりつけ医）への登録が必要。病院で診療を受けたい場合は、まず登録したGPに来院予約を入れて受診する。来院予約は電話が基本だが、オンライン予約を導入しているGPも増えている。

GPがより専門的な治療が必要だと判断した場合は、専門医への紹介状を書いてくれる。それをもとに指定の病院の予約を取り、後日専門医で受診する。

GP登録の手続き

まずNHS公式サイトの「Find a GP」で自宅の郵便番号を入力し、最寄りのGPを検索。検索結果に表示される各病院をクリックすると、

医療従事者に感謝を伝えるスローガン

診療時間や医師の詳細、病院の評価などの情報を確認できる。

希望のＧＰを決めたら、電話で登録可能か問い合わせ、窓口で登録届を提出する。登録届は窓口で受け取るか、事前にＮＨＳ公式サイトからダウンロードすることも可能だ。

緊急の場合

体調が急変したり、事故で怪我をしてしまったり、ＧＰの予約を待つことができない緊急時には、総合病院のＡ＆Ｅ（緊急外来）を利用する。

24時間体制で診療を受けることができるが、症状が深刻な人から優先的に診療を受けるため、待合室の人数と自身の症状によっては、待ち時間が長くなる場合もある。救急車の番号は９９９。

日本語で安心の日系病院

英語での病院受診に自信がない場合は、日本人医師の診療が受けられる日系の私立病院がおすすめだ。ただし日系の私立病院の多くはロンドンにあり、日系病院のない地方都市も多い。

日系病院であれば、ホームページも日本語表記のため、診療や医師の情報もしっかり確認することができ、電話予約も日本語で対応してもらうことができる。

ただし、私立病院は診療費が高いため、加入している海外旅行保険を利用して、受診するケースがほとんど。海外旅行保険を利用する場合は、受診の前に所定のコールセンターへの連絡が必要な場合もあるため、事前に確認しておきたい。

United Kingdom

イギリスの学校って⁉
日本とは異なるイギリスの教育制度

イギリスの義務教育は5歳から。イングランド以外の義務教育期間は16歳までだが、イングランドでは、若者の離職率上昇への対応として、2015年に義務教育期間が18歳まで引き上げられている。

4月はじまりの日本とは異なり、入学月は9月。9月時点で4歳になっている児童を対象に、就学前教育として「レセプション」という学年が設定されている学校が多く、レセプションの学年から入学する児童がほとんど。

日本の小学校にあたる、プライマリースクール（初等教育）が、Year 1から6までの6年間。その後、セカンダリースクール（中等教育）で、Year 7から11までの5年間を過ごす。修了時には、全国統一試験GCSEを受験し、この成績が進学・就職の際に重要となる。

イングランドでは、16歳でセカンダリースクールを卒業後、18歳になるまでの2年間は、カレッジなどでのフルタイム就学、またはアプレンティスシップやトレーニーシップと呼ばれる企業での職業訓練の受講。もしくは、パートタイムで職業訓練や教育を受けながら、週20時間以上のアルバイトかボランティアに従事することが義務付けられている。

公立学校は、基本的にすべての教育が無償（給食費は有料）。私立校の授業料は学校により異なるが、1学期の学費の平均は4763ポンド～6420ポンド。

低学年の登下校は保護者の同伴が基本

Interview

子どもが現地校で学ぶには学校選びが大事

夫の転勤で、イギリスに移住したSさん。現在 Year6 の息子さんは、ケンブリッジの現地公立校に通っている。

「入学の前年度に志望校を選びますが、学校により雰囲気が異なるので、学校選びがかなり重要です」

情報収集は、Ofsted（教育水準局）が毎年発表する報告書を参考にするのが一般的。報告書では各学校が４段階で評価されている。

「通われている方の口コミも参考になります。歳の近い子どもがいる近所の方や、未就学児の子どもたちが遊ぶプレイグループで知り合った方にもお話を伺いました」

入学枠に空きがあれば、学区外からの入学が許可されることもあるが、基本的には学校のあるキャッチメント・エリア（学区）に住んでいる人が優先されるため、入学のために引越しをする家庭も多いという。

「Ofsted のサイトでは、各学校でフリーミール（無料給食）を受けている児童の数も見ることができ、学校がある地区のおおまかな傾向をつかめると思います。登下校の際の送り迎えの様子を見に行くのも参考になります」

イギリスでは Year4 以下の児童の登下校には、必ず保護者の付き添いが必要だ。

「はじめは面倒でしたが、実際は毎日子どもと会話ができるよい時間でした。学校はリラックスした雰囲気で、できない部分を厳しく指導されることが少ないため、勉強についていけているか、親が気をつけておいたほうがいいかもしれません」

大学都市として有名なケンブリッジ

Interview

日英カップル最初の試練!?
配偶者ビザ取得の難易度は世界上位

日本で交際していた現在の夫が、母国のイギリスへ転職するタイミングで、配偶者ビザの取得を決意したという下平亜耶（しもだいらあや）さん。

2人は日本で入籍し、日本からビザを申請する方法に決定。先に夫が帰英し、現地で日本での婚姻に必要な出生証明書を取り寄せたが、到着までに約1ヵ月を要した。「書類の準備は早めに」というのも、下平さんからのアドバイスだ。

その後、婚姻のため一時帰国した夫と日本で入籍後、本格的にビザ書類の準備を開始。英語力証明に必要なIELTS受験や必要資料の翻訳、交際事実の証明のために提出する、交わしたメッセージの類など、2人の思い出をまとめた書類は160ページにもわたった。

当時フラットシェアに住んでいた夫は、下平さんと同居する意思があることを証明するため、2人で暮らせる新居に引っ越し、契約書のコピーや大家さんからの一筆も用意したという。

「渡英側が準備に奔走している間、迎え入れる側が悠長になりがちで。その温度差が原因で、けんかが勃発したという話もよく聞きます。まさにビザ取得はカップル最初の試練といえるかもしれません」

フルタイム勤務を続けながらも、弁護士に頼らず「最初の試練」を乗り越えた下平さん。2019年11月に配偶者ビザで渡英し、現在はスターミー亜耶さんとして、映像翻訳者のキャリアを歩んでいる。

夫のアレックスさんとの1枚

United Kingdom

長期滞在予定者のイギリス入国後の諸手続き

GP登録とNIナンバー取得、BRPカードの受け取りを忘れずに！

日本のパスポートを保持する18歳以上の旅行者は、イギリス入国時に空港で自動化ゲートの利用が可能だ。自動化ゲートを利用した場合、パスポートに入国印は押されない。ビザによっては、入国後の手続きで入国印が必要となる場合もあるため、事前に要件を確認しておきたい。

BRPカードの受け取り

6ヵ月以上の滞在なら入国後、パスポートに貼られた滞在許可証の期間内、もしくは入国から10日以内のどちらか遅い期日までに、生体認証情報を含む滞在許可証「BRPカード」を受け取る必要がある。受け取り場所は、ビザセンターから事前に指定された郵便局。

カードには、顔写真、氏名、ビザの種類、滞在期間、生年月日などの個人情報が記されている。

GP（かかりつけ医）登録

イギリスの国民保健サービスNHSを利用するためには、GPと呼ばれるかかりつけ医の登録が必要だ。詳しい登録手続きはP．66、67の医療情報ページを参照。

NIナンバーの取得

イギリスで働くためには、税金の管理に使用される、NIナンバー（国民保険番号）の取得が必要。

NIナンバー申請ラインに電話し、氏名や住所、ビザの種類など、個人情報に関する質問に答えると、申告した住所宛にNIナンバー申請書が届く。記入済申請書を返送すると、後日NIナンバーが郵送される。

Interview

ワーホリでスコットランドに滞在
帰国後日本人初のキルトメーカーに！

2017年より2年間、YMS（ワーホリ）ビザでエディンバラに滞在していた野村瞳さん。滞在中は、現地のキルトメーカーの下で伝統的なキルト制作を学び、現在は日本人初のキルトメーカーとして活躍している。

渡英前からスコットランド文化のキルトに強く惹かれ、現地でより深く学びたいという思いが、YMSビザ応募の決め手となった。

「私は『スコットランド文化を日本に伝えたい』という夢を叶えるため、キルト制作に励む2年間を過ごしましたが、英語力を磨くもよし、休暇のように過ごすもよし。YMSは、当選した人がその運を使って、やりたいことを自由にやれるのが魅力のビザ。使い方も千差万別です」

野村さんは、渡英2年目でキルトメーカーとしてオーダーを受けはじめ、直接生地工場に足を運び、生地の仕入れの契約交渉も行っていたという。ほかの国のワーホリビザより滞在可能期間が長いため、さまざまな経験を積むことができる。

「この2年間で、考え方も大きく変わりました。アンティークの本場でもあるイギリスで、ひとつのものを大切にする心や、お金を使わなくても豊かな暮らしができることを学び、お気に入りのものに囲まれて過ごす幸せを実感できました」

ワーホリを通して、キルト縫製やイギリス文化に宿る豊かな心を学んだ野村さん。誰かのお気に入りとして愛され続けるキルト作りを目標に、帰国後に本場のタータンを扱うテイラー「Hitomi Kiltmaker」を立ち上げ、新しい一歩を踏み出しはじめている。

スコットランド旗を掲げる野村さん

France

[第3章] フランス

芸術と自由を愛する観光大国

文・奥永恭子

France

いま世界が注視するのはフランスのテック系スタートアップ

観光、芸術、ファッション、グルメだけじゃない

フランス共和国
French Republic

- ■人口……………………6,706万人
- ■GDP……………2兆7070億ドル
- ■ひとりあたりGDP………41,760ドル
- ■実質GDP成長率…………………1.3%
- ■日系企業（拠点）数……………703社（前年比＋1.6%）
- ■在住日本人数……………40,538人（前年比－8.4%）

起業先進国になったフランス

フランスの国土面積は、西ヨーロッパ最大で日本の約1・5倍。平野と緩やかな丘陵地帯が7割を占め、国土の約半分以上は農業用地。「ヨーロッパのパン籠」と呼ばれるEU最大の農業大国でもある。小麦の輸出額はアメリカに次ぐ世界第2位だ。

工業においてはワインやチーズなどの食品工業や製材業、繊維業、自動車産業などが中心。また、宇宙・航空産業、原子力産業などの先端産業も発達し、多くの産業基盤を持つ。

国内総生産（2019年）は、アメリカ、中国、日本、ドイツ、インド、イギリスに次ぐ第7位の経済規模を誇り、概して内需主導で、緩やかな経済成長が特徴だが、一方で2010年の欧州債務危機以降、8〜11％の失業率という慢性的な雇用問題を抱える。そこで、2013年末に政府が産業育成と雇用対策のための国家プロジェクト「フレンチテック」を推進、世界有数のスタートアップ大国にまで急成長している。欧州のシリコンバレーをめざすべく、2017年に世界最大級のインキュベーション（注1）施設「ステーションF」の竣工や、オープンイノベーション

（注2）イベント「ビバ・テクノロジー」を開催。またパスポート・タラン（P．77）を導入して投資家や優秀な才能を有する外国人を積極的に受け入れており、テクノロジーとスタートアップの国としての新しい側面が注目されている。ちなみに、欧州における日本の投資受け入れ先として、フランスは主要国になっていて、2010年以降日系企業は増加傾向にあり、ドイツ、イギリスに次いで第3位だ（注3）。日系企業のフランス進出も加速していて、求人需要も拡大している。

受け継がれる革命の精神と多様性

そしてフランスは、外国人観光客入国数では常に世界一の観光大国で、穏やかな気候と豊かな自然に恵まれた地形に加え、首都パリを中心に、文学や絵画、ファッション、グルメなどの文化面でも世界をリードして、多彩な魅力を放っている。フランスは常に自由で個性を大事にする国。独断的で他人と妥協することを嫌い、自分は自分、人は人として、他人に流されない生き方を好むが、相手の個も受け入る寛容さを持ち合わせる個人主義。論理的で批判精神も旺盛、自分の意見をはっきりと主張できる国民性は、フランスの歴史と教育によって受け継がれている。

ヴェルサイユ宮殿に代表されるブルボン朝の豪華絢爛な宮廷文化は、洗練された料理やファッションなど世界の先駆けとなり、パリはその中心舞台であり続けたが、1789年のフランス革命によって、それを打ち壊し、自由・平等・博愛を希求するフランス共和国が成立した。フランス革命以降も人々は国の体制を批判的に問い直し、革命を通じて何度も変えて、激しい命がけの実験を繰り返した。1968年の五月革命や、フランスで頻繁（ひんぱん）に起こるストライキ、マクロン政権に抗議する「黄色いベスト」運動のデモなど、現代にも権力に迎合しない反骨精神が受け継がれ、そしてその信念によって情熱的に行動する連帯が自然発生するのもフランスだ。

さらに、移民や難民を受け入れ、自国文化を豊かに発展させてきた。キュリー夫人、ショパン、ピカソなど、フランスで才能を開花させた移民たちは枚挙にいとまがない。一方で、近年のイスラム過激派による同時多発テロ事件を発端に、フランス社会におけるイスラム系移民のさまざまな問題が可視化されている。

注1：新規事業支援　注2：社内外の技術などを組み合わせ、イノベーションにつなげること。
注3：外務省「海外進出日系企業拠点数調査」（2019年）

France

長期滞在は日本でビザを取得後に現地で滞在許可証を申請

申請書類の準備は余裕を持って念入りに

フランスに90日以上滞在する場合は、それぞれの目的に沿ったビザ・滞在許可証の取得が必要。「France-Visas」公式サイト（注1）を利用し、在日フランス大使館でビザを申請し、入国後ビザを有効化する。各ビザの共通必要書類は、長期ビザ申請書、証明写真（35×45㎜）、パスポート、ビザ申請料金99ユーロ（学生ビザは50ユーロ）相当の日本円。ビザ・滞在許可証は細かく分かれているので、おもなものを紹介する。

◆ワーキングホリデー

申請時に満18歳以上30歳未満で、子ども同伴ではないこと、フランスを知るための渡航で、なおかつ仕事に就く意思があることが条件。発給は1回のみ。1年間有効で延長や身分の変更は不可。申請費は無料。

必要書類：3100ユーロ以上の滞在資金証明書、申請動機の作文、滞在中の計画書および履歴書（仏語もしくは英語）、ワーキングホリデービザ宣誓書、健康診断書、海外旅行保険加入証明書（仏語もしくは英語）

◆ビジター

定年退職後の生活、文化や芸術目的、修了証書やディプロム（注2）の取得が目的ではない就学など、さまざまな目的でフランスに滞在することが可能だが、フランスで報酬を伴う労働は一切できない。有効期間は1年で延長可能だが、状況によって延長が認められないビザが発給されることもある。

必要書類：詳細を記した動機書、フランス滞在中の日本における社会的立場を証明する書類（サバティカル休暇証明書、年金受給証明書、在職・休職証明書、教育機関・大学・研究機関の在籍証明書など。それらに当てはまらない場合、本人の状況を詳細に記したレターを提出）。年額1万7344・60ユーロ＝約224万円の経済証明、労働しない旨の誓約書、住居証明、フランスで有効な医療保険加入書。

◆学生

高等教育機関または公立、私立の教育機関における学業を目的（修了書・ディプロム・資格の取得）とし、18歳以上であることが条件。週約20時間以下の労働が認められている。ビザ申請を行う前に、「Campus France」公式サイト（注3）での手続き（有料）が義務付けられている。

必要書類：高等専門教育機関の仮登録または登録証明書、月額615ユーロ以上の経済証明書、長期海外医療傷害保険加入書。

◆住み込み言語習得者（オペア）

18～30歳までの若者を対象に、住み込みとして働きながら、語学学校に通うことができる。フランス語の基礎知識もしくは中等教育または専門資格を持っていることが条件。最長1年間有効で、1年まで延長可。

必要書類：労働基準監督署の承認を受けた同意書、フランス語学校入学許可書、申請者が学生の場合は、在学や成績証明書、社会人の場合は在職証明書等。

◆パスポート・タラン

投資家、企業経営・代表者、受け入れ先のフランス企業（日本企業の現地法人を含む）と労働契約を締結する出向社員、EUブルーカード保持者、科学者、芸術家、起業家など特定の職業に対して付与される滞在許可証。最長4年間有効で更新可。職種によって申請条件や必要書類が異なる。Doing Business in France 2018日本語版（注4）参照。

◆企業内派遣（ICT）

同一企業グループ内の任務を12ヵ月以上遂行するためにフランスに派遣され、派遣先のフランス企業（日本企業の現地法人を含む）との労働契約はなく、派遣元との労働契約を維持する場合に付与される滞在許可証。最長3年間有効で更新不可。

必要書類：CERFA申請書、雇用契約書、経済証明書、グループ内の派遣元の企業には6ヵ月以上就労していることを証明する書類、勤務予定の会社・事業所の再任のK－bis（法人登記簿）抄本、社会保障協定適用証明書などが求められる。

注1：https://france-visas.gouv.fr/web/france-visas/accueil
注2：高等教育機関により発行される卒業証明書、業種証明書　注3：https://www.japon.campusfrance.org/ja
注4：https://www.welcometofrance.com/en/doing-business-welcoming-talents　上からJapanese versionをクリック

Interview

学生からステップアップして現地でパタンナーとして働く

フランスに住んで7年目になるUさん（31歳）は、語学学校、服飾学校の学生を経て、フランスのオートクチュールを代表するメゾン〝クリスチャン・ディオール〟で働くチャンスをつかみ、現在はタイユール（ジャケット・コート）部門のモデリスト（パタンナー）として、キャリアを積んでいる。

Uさんは、大学浪人で挫折感を味わうも、表現する仕事をしたい気持からファッションへの興味が高まり、大学入学と同時に服飾専門学校にも入学。卒業後はパリへ。とりあえず行ってみて考えようという、自分探し的なスタンスだったそうだ。

初年は留学エージェントを利用して、9月から服飾の専門学校のサンディカ・パリクチュール校（2019年よりIFM校に合併）に入学を決めたが、入試面接があったため、まずは観光ビザで渡仏。その間に、ホームステイをしながら語学学校にも通い、パリの街にも慣れていった。

エージェントを利用したのは「自分の語学力ではあまりにもリスクが大きすぎたので、アドバイザーとしての役割も期待して」。何もわからない状態だった最初の1年だけは安心のためという理由もあった。実際、エージェント経由ならビザの手続きや更新もスムーズで、病気などの生活面や行政関係などにも対応してもらえた。費用はかかるがストレスもなく学業に集中できたという。

サンディカ・パリクチュール校を卒業後はフランス唯一の政府公認校A.I.C.Pというモデリスト専門学校へ入学。スタージュ（研修）もカリキュラムに組まれ、2年間でエルメスやイザベル・マラン、メゾン・マルジェラなど複数のメゾンで経験を積み、アシスタント的な仕事からパターンを引かせてもらうようになった。卒業が近づくにつれ、どうしても憧れのディオールでスタージュをしたい気持が強まり、学校側に直談判して電話をしてもらい、2週間だけその機会を得た。手が震えるほど緊張したそうだが、とにかくスタージュへの熱意をアピールしたそうだ。

学生から身分変更

フランスでキャリアを積みたいと考えたUさんは、ディオールのスタージュと並行して、学生の滞在許可証から就労可能な許可証に変更したいと日本人会や先輩に相談をし、プロフェッション・リベラル（自由職業者）身分の滞在許可証を申請する書類を作成していた。URSSAF（社会保障公庫）へネット登録し、プリフェクチュール（県庁）での申請アポもすでに取れていた。

そんな矢先に、突然チャンスが訪れた。ディオールでの研修が実質10日にも至らない時点で、派遣社員で働かないかと声がかかった。ところが、Uさんが取得しようとしていたプロフェッション・リベラルの身分では、給与収入活動が許されておらず、派遣社員として働けないことが発覚。急遽、給与収入活動も認められているパスポート・タランの身分申請に変更。申請は同じ県庁内だが、管轄が違うと跳ね返されたものの、新たにアポが取れ、第9項の芸術文化活動従事者に属したパスポート・タランとして2年間の滞在許可証が下りた。その後の更新では最大の4年間を取得できた。

必要な資格や条件として、ディプロム（職業資格）や職業経験に加え、数年先までの見込み収入を含めた事業プランが大事だそうだ。現職に就けたのも「タイミングがよかった」と謙遜するが、運だけには頼れない。フランスで働いていく上で大事なことは「コミュニケーション。フランス語ができるできないではなく、自分の想いを伝えたりすること」。さらに「自分から取りに行く行動力。人を蹴落とすのではなく、遠慮しすぎないこと」だという。

今後もモデリストを技術者として重んじるフランスで技術を磨き、5年以上社会保障費を納め続けることで申請できる10年カード（滞在許可証）取得も見据えている。

Uさんが卒論のテーマにしたイヴ・サンローランの美術館

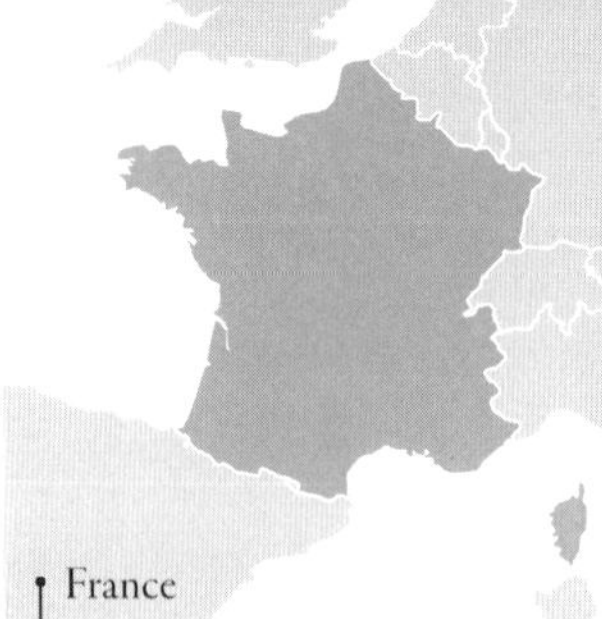

France

生活費はひと月いくらかかる?

食料品や交通費は日本より割安 生活費は住宅選びで予算が変わる

自炊中心なら日本より安い食費

　フランスの物価は総じて高いと思われがちだが、実際はものによる。野菜や果物を中心とした日常の食料品は、日本に比べてかなり安い。たとえば1kgのトマトやリンゴはスーパーなら2~3ユーロ、マルシェ(市場)なら1ユーロと、東京の平均的な値段の半額以下で買うこともできる。パン屋でいちばん安いバゲット(フランスパン)は1本1ユーロ前後だが、大型スーパーなら40サンチーム(セント)という安さだ。日本の消費税にあたる付加価値税(TVA)はフランスでは20%だが、食品には5・5%と軽減税率が適用されているからである。自給率120%を誇る農業国の強みを感じられる。輸入品も含め、種類も豊富で、素材の味も濃く、おいしい食材が手に入り、オーガニック(BIO)食品も手軽に買える。

　ちなみに、大型スーパーにはアジア食材コーナーもあり、パリなど大都市では日本食材店もあって気軽に日本食材を購入できるが、割高の日本食中心になるとエンゲル係数も高くなるので要注意。自炊中心なら月の食費は200ユーロで十分収まるだろう。

　しかし、外食は高い。レストランで食事をする場合はサービスを伴うため、税率は10%と、食品より高く設定されている。レストランでメイン料理一皿15ユーロ~、コースでオーダーすれば、あっという間に40ユーロにはなるだろう。ファストフードのセットでも約8ユーロと割高だ。

飲み物もレストランでは高くなる。日本では誰もが気軽に外食を利用するが、フランスでは記念日や祝いごと、友人に会う機会などなにか理由がないとなかなか外食しない。

全体的には安めの交通費

フランス国内は、鉄道や航空網もよく整備され、地方都市でも公共交通機関も発達していて、どの都市でもたいてい全区間同一料金になっている。

パリを中心としたイル・ド・フランス圏の場合、1回券が1・90ユーロ、10回分をICカードにチャージすれば14・90ユーロと割安になる。圏内乗り放題の定期券は週、月、年単位で購入でき、移動距離が長く、利用頻度が高いほどお得になる。１ヵ月で75・20ユーロという料金は、パリ市内移動に限れば安くはないが、山手線内均一定期券と比べれば値頃感はある。

また、長距離列車の料金は、航空券と同じような変動制になっているので、購入するタイミングで料金が大きく異なり、さらに年齢などの条件でさまざまな割引があるので、安く購入することができる。たとえば、路線の距離で東京〜京都間に匹敵するパリ〜リヨン間を直前に購入しても平均90ユーロと新幹線に比べて２割程度安く、早く予約すれば10ユーロ〜と破格の安さだ。

パリのひとり暮らしは約16万円〜

フランスの学生組合の調査（２０１９年）によれば、パリの大学生の１ヵ月の生活費は１２８８・83ユーロ（約16万６０００円）といちばん高く、最下位のリモージュは７４９・25ユーロ。パリの物価の高さは一目瞭然だが、その差はほぼ住宅費によるものだ。パリは地方の2倍ともいわれるが、南仏ニースでも１・５倍の高さ。日本人がパリのワンルームにひとり暮らしする場合の生活費を概算してみても、１２００ユーロ〜となるだろう。パリでも住まいをシェアしたり、郊外に住めば、８００ユーロくらいに収めることも不可能ではない。

フランスは日本に比べて、食品や交通費以外にも、インターネットや携帯電話などの通信費や、映画や美術館などの芸術鑑賞料金も安い。一般的には高い税率がかけられているものの、日本よりフランスのほうが節約しやすい環境であることは確かだ。

都市部観光地や地下鉄では特に注意 危機管理と自衛をしっかりと！

犯罪の多くは軽犯罪

フランスは、ヨーロッパの主要先進国の中でも、じつは犯罪発生率が高い。不法に入国してくる移民が後を絶たないことや、失業率の高さなど深刻な社会問題に起因する。2015年のパリ同時多発テロ事件や翌年の南仏ニースでのトラック突入事件、2018年の黄色いベスト運動などの抗議デモによる暴動事件はまだ記憶に新しいだろう。世界163ヵ国の治安状況を示す世界平和度指数（GPI）のランキング（2019年）では、フランスは60位、EU36ヵ国だと29位だ。9位の日本と比較すれば圧倒的に危険度が高い国ということを実証している。しかし、殺人事件などの重大事件はあまり多くなく、その犯罪の多くは、スリなどの軽犯罪であるため、警戒心を持つことで犯罪に巻き込まれることを回避できる。また、犯罪が起きる地域もある程度限られている。

移民が集住するエリアに注意

では、特に警戒が必要な地域はどこなのか？　フランスの大都市の外れに存在する〝バンリュー〟と呼ばれる地域だ。

バンリューとはフランス語で「郊外」を意味するが、おもに移民などの貧困層が住む公共団地地帯を婉曲に指して使われることが多く、〝Les quartiers sensibles〟（微妙な問題を抱えるエリア）とも呼ばれている。高度成長期の1960年代に労働力として雇い入れられた旧植民地（モロッコ、アルジェリア、チュニジア）の男性たちとその家族の受け皿となり、外国からの新たな移住者をいまも受け入れる一方、移民2世、3世たちも住み続ける場所だ。しかし、高い失業率を背景にフランス社会での人種差別が高まったことで、貧困で危険な地域と見られるようになってしまった。

フランスで特に問題視されているバンリューは、パリ北東部のセーヌ＝サン＝ドニ県。なかでもサン＝ドニは、パリ同時多発テロ事件の実行犯らがアジトにしていたエリアで、県内の犯罪発生率がもっとも高い。パリ市内では、セーヌ＝サン＝ドニ県と地続きの18区、19区、20区などの右岸の北東部が特に治安が悪いといわれるが、すべてのエリアが危険区域というわけではない。

一般的に治安がよいとされているのは閑静な住宅街が多い左岸で、西部にはヌイイ＝シュル＝セーヌなど比較的裕福な人々が住んでいる郊外もあるが、空き巣などの被害に遭いやすいのも事実だ。

犯罪件数がもっとも多いのはパリだが、マルセイユやニース、トゥールーズといった移民が多く集まるフランス南部でも犯罪が多い。特にマルセイユは、犯罪者の若年化と過激化が進み、麻薬犯罪や拳銃等の武器を使用した凶悪犯罪も増加傾向にあり、フランスメディアでもたびたび取り上げられているほどだ。

そのほか、フランス東部のストラスブール、コルマール、ミュールーズ、メッス、北部のリールなどの産業地帯や、イギリスに渡る難民たちのルート上にあるカレーにも警戒エリアがある。国によって指定された〝都市内における緊張地区Zone Urbaine Sensible（ZUS）〟は、https://sig.ville.gouv.fr/atlas/ZUS のサイトから確認できる。

治安のよい都市はどこか？

治安のよい都市に関するアンケート調査の結果はさまざまで、限定することはできないが、南西部のボルドー、西部のナント、東部の湖畔の街アヌシーなどが上位にあがる。

逆に不評なのはマルセイユと、パリといった大都市だ。メトロや観光地ではスリが多く、日常的に警戒することに抵抗があれば、パリ、リヨン、マルセイユ、ニースなどの観光客が多い大都市は避けたほうがよいだろう。ちなみに、外国人の人口比率が低いのはブルターニュ、バス＝ノルマンディーなどのフランス西部。とはいえ、フランスのどの都市でも自己防衛は必要だ。

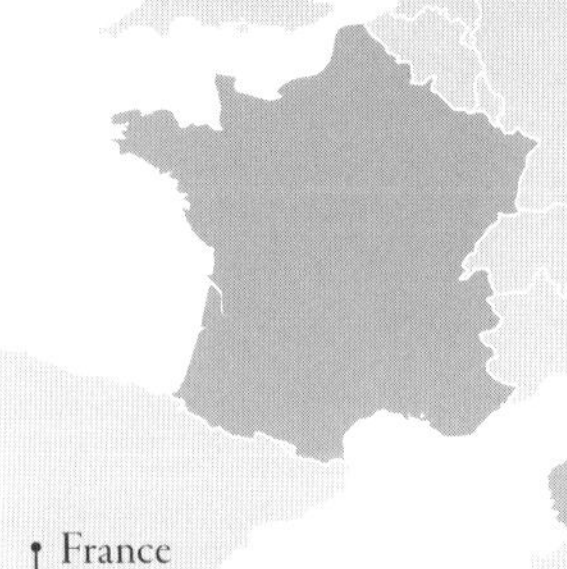

France

フランスの就活事情

専門性が高いスキルは有利 忍耐と積極的な自己PRで切り開く！

フランスは日本以上に学歴社会。どこでなにを習い、どんな資格を取得しているかが重視されるため、料理や美術、ファッションなど専門性が高い特別なスキルがある場合は別として、高学歴、高職歴でないと現地の一般企業への就職は難しい。

その上、失業率は慢性的に10%に迫る高水準で、特に若年層の失業率に関しては20%と深刻な雇用問題を抱え続けているので、自国民を優先的に雇用する傾向は強い。

こうした厳しい背景からも、現地企業よりは日系企業または日本人向けのサービスのほうが就職しやすい。ただし、現地企業での就労にはフランス語の語学力は必要最低条件。レベルは企業によってまちまちで、コミュニケーションが取れるレベルでよしとする企業もあるが、たいていはビジネスレベルのフランス語が要求される。英語ができるとプラスになり、絶対条件ではないがトリリンガル、マルチリンガルも大勢いる。

フランスの求人の探し方

日系の求人情報は、在仏邦人向けのフリーペーパー「OVNI」や情報サイト「ジモモパリ」「在仏日本人会」「MixB」などに掲載されている。料理人やパティシエ、飲食店のサービススタッフ、日本語講師などのほかに、ベビーシッターやハウスキーパーといったアルバイト的な募集もよく見かける。旅行会社、翻訳会社、日系駐在員事務所や支店での事務職、クレジットカードや保険アシスタンス会社などは日本人が正社員として働きやすい。会社に属さず、通訳、ガイドなど、フリーランスや個人事業主として働く日本人も多い。

日本人対象にこだわらず広く探したい場合は、「leboncoin」などの現地の求人サイトを利用したり、ハローワークのような「Pôle emploi」や派遣会社（intérim）に登録する方法もあるが、もっとも一般的なのは、興味のある会社やお店などに直接履歴書とモチベーションレターを持参したり郵送するやり方。カフェやブティックなど、日本人観光客が多い店の販売職は狙い目だ。

また、コネ社会のフランスでは人脈も大いに活用したいところ。キャリアが長い人やエンジニアなどの専門職は、「LinkedIn」などのビジネス特化型ＳＮＳ経由や、ヘッドハンターから直接声がかかるケースもあるようだ。渡仏前であれば、海外勤務求人に強い転職エージェントに複数登録して探すという方法もある。駐在員であれば、ビザの取得も会社がサポートしてくれ、給与などの待遇も現地採用されるより格段によい。ただし、駐在員は現地に永住はせず、赴任地も選べないのでフランスで働けるとは限らない。

フランスの労働条件

フランス企業の給与は、それまでの経験、スキル、学歴を考慮されて決められることが多い。フランスの平均月給は、２０２０年時点で２３００ユーロ。物価の変動により最低賃金を変えるシステムのため年々上がっている。２０２１年の最低賃金は時給10・25ユーロ、月額で１５５４・58ユーロと日本より高く思えるが、高い社会保障費などを引いた手取りになると１２３１ユーロで日本とさほどかわりない。たとえば料理人の場合、未経験なら最低賃金、ある程度の経験で平均月収、シェフであればそれ以上となる。

また、フランスで働いている人の９割近くが正規雇用。雇用形態には無期労働契約（ＣＤＩ）と最長18ヵ月の有期労働契約（ＣＤＤ）がある。日本と違ってパートタイムでも正規雇用になり、待遇は同じ。労働時間は週35時間、有給は１年間で５週間分ほど支給される。

フランスでは社会保障が手厚く、労働者の権利が強いがゆえに、職を得るのが困難だが、根気強く応募することが就職につながる。だが、労働契約書を発行しなかったり、最低賃金以下で労働させようとする悪質な業者もいるので気をつけよう。

Interview

短期滞在から学生ビザ、ワーホリへ
喜びと苦悩を積み上げた貴重なフランス生活

病気を乗り越えフランスひとり旅

K.S.さん（26歳）がはじめてフランスを訪れたのは19歳のとき。南仏のニースとパリのひとり旅だった。きっかけは摂食障害で入院中に祖母がくれた料理研究家のSHIORIさんの本で、フランス料理留学の記事に夢中になったという。K.S.さんは、音楽教育に特化した高校で、ピアノ漬けの日々と周囲の圧力にストレスを感じていた。大好きだった食べることも苦しくなり、摂食障害に。しかし、自分を変えたい一心でひとり旅を決心したのだった。旅のテーマはフランスの食体験。レストランやカフェ、パン屋、マルシェを訪れ、ネットで探した料理教室にも積極的に参加し、刺激的な1週間を過ごしたが、サバイバルなひとり旅でさびしさを味わう苦さもあったという。もうこりごりと思った反面、旅の先々でやさしくしてくれたフランス人に対しては好印象だったそうで、それからも、実家の日本料理店や地元のカフェなどで働きながら、年に1度の食探求のフランスひとり旅を続けた。

ビザなしの短期語学留学

4度目の渡仏で憧れの料理学校留学を夢見るが、高額な学費で断念。その代わりに、滞在許可が不要な3ヵ月という期間でパリ語学留学を体験した。アジア人の生徒が多い学校だったが、口コミの評判のよさと学費の安さが決め手になったという。入門クラスといえどもフランス語のみで進む授業に戸惑う一方、アットホームなクラスの雰囲気と外国の友人との交流は楽しく、貸し部屋のホストマダムが熱心にフランス語まで教えてくれたことも支えとなり、充実の学校生活だったと振り返る。

学生ビザからワーホリビザへ

その後も、食への情熱は変わらないまま、1年間の語学留学を決意。10ヵ月の学生ビザが取得できたことで、シッターや飲食店の調理のアルバイトも合法的にでき、また国からの住居手当も受給できた。

旅先で立ち寄ったルーアンのマルシェ

そして日常会話レベルまでフランス語が上達した彼女が選んだ次のステップは、学生ビザの更新ではなく、ワーキングホリデービザの取得だった。両親からの金銭的な援助を心苦しく思い、フランスで自活したいという欲求が強まったからだという。かつてのアルバイト先の弁当屋や、知り合いのシェフからも声がかかり、掛け持ちしながらフルタイムで調理の仕事に打ち込んだ。また、余裕があるときは作り置き料理の仕事をしたり、ガイドブックの取材や執筆にもチャレンジして、活動の場も広げた。収入は月によってまちまちだったが、まかないで食費が浮き、家賃を払っても貯金ができるほど余裕があったそうだ。休みの日は友人と出かけるだけでなく、フランス語の勉強も続けた。「経済的に自立できたおかげで、生活にもメリハリができ、人生の中でいちばん充実した日々を送っていた」とワーホリ生活を振り返る。さらに「未だに病気の影は引きずりますが、摂食障害という病気を克服できたのはフランスへのひとり旅という第一歩を踏み出せたから」。彼女が積み上げたフランスでの生活は、なにものにも代え難い経験となった。

充実した1年間のワーホリ生活を終えると、K.S.さんの働きぶりが評価され、雇用主が就労ビザ取得の話を持ちかけてくれた。しかし、準備に尽力してくれる過程で、膨大な資金がかかることが発覚し、最大1年半の社会人の研修ビザ取得に軌道変更させられた。実家の日本料理店とも提携し、書類も綿密に作成し申請したが、残念ながらビザは発給されなかった。「弁当屋で働き続けることがよかったのか自問自答していたので、この結果に後悔はありません」と前向きに語る。

フランスと日本を往復しながら、本当にやりたいことを模索しているK.S.さんの今後に期待したい。

目的に合わせた留学

旅の延長で体験できる習いごと留学から学位を取得する本気留学まで

語学留学

語学学校の多くは、短期間に生活や仕事に役立つフランス語を身に付ける実践的なカリキュラムを組んでいる。特別厳しい入学資格や条件はなく、まったくの初心者でも入学が可能。大学附属の語学学校は誰でも入学できるが、入学日が年2回（9月と2月付近）の2学期制を採用しているので短期留学希望者には向かない。ただし、月単位で入学日を設けている大学附属校もあり、夏期講習なら1ヵ月単位で受講が可能。中級レベル以上は語学の授業に加え、文学や歴史などのフランス文明講座が充実している。私立の語学学校は、少人数制で学ぶ側のニーズに合わせて授業数やプログラムを設定できる。毎月または随時入校を受け付けており、1週間からの短期留学も可能。学校選びには、フランス政府が一定基準に従った質を認定するFLEラベルを保持しているかも参考に。

高等教育機関留学

フランスの高等教育機関（P.99）に入学するには、国家資格バカロレアもしくはそれに相当する免状（高校卒業証明書のほかに、日本の大学の合格証明として、大学の在学証明書、卒業証明書または日本の大学による合格通知）を取得する必要がある。さらに外国人留学生の場合は上級レベルのフランス語が求められるが、英語で履修できるプログラムも多数ある。一般大学の学士課程の入学資格は、フランス語の語学試験DELFもしくはTCFでB2

レベル以上、修士課程は日本の学士号取得、博士課程へは日本の修士号を取得し、ＤＡＬＦのＣ１レベル以上のフランス語力が必要。かつては公立大学だと2万円程度の登録料のみだったが、２０１９年以降はＥＵ以外の留学生は一定の学費（学士：年間２７７０ユーロ、修士／博士：年間３７７０ユーロ）の支払いが義務付けられている。グランド・ゼコールの入試選抜は各校独自の方法で実施され、特別な手続きが必要な上、費用は大学に比べてかなり高額と、外国人学生には狭き門。そのほか、美術大学、建築大学、音楽院、高等職業専門学校（福祉・医療隣接部門、観光、ガストロノミー、ファッションデザイン、ジャーナリズム、ホテル業など）などもあり、入学は入試または書類選考などによって行われる。Campus France（フランス政府留学局）のサイトからプログラムに沿った学校検索ができる。

習いごと留学

興味のある分野を本格的に学べる習いごと留学も充実している。

アート、映画、モード、料理など、プロをめざす専門学校の多くが私営で、短期間でも入校できる学校もある。有名シェフや老舗の料理・製菓学校、デッサンや版画のアトリエ、刺繍（ししゅう）学校（Ｐ．１０２）などは日本人にも人気。語学学校によってはフランス語と習いごとを組み合わせたプログラムもあり、ブルゴーニュやボルドーなどのワインの産地ではワインコースが充実している。そのほか、フラワーアレンジメント、陶磁器の絵付け、製パン、カリグラフィー、装丁、アロマテラピー、ガラス工芸、ジュエリー、カルトナージュ（厚紙工芸）など、1日から体験できるものもある。語学に自信がなければ日本人主催の教室や、日本語サポートが受けられるエージェントを通すとストレスがない。

長期滞在なら、自治体運営の公営スクールがおすすめ。9〜6月の年間コースが多いが、費用が割安。フランスの伝統工芸も含むアート、スポーツ、ダンス、料理、マルチメディアなど多岐にわたり、何百という講座数を持つ施設もある。パリならLes centres Paris Anim'、les Cours d'adultes de Paris（CAP）、アートに特化したPARiS ATELiERESやAtelier beaux arts、音楽・ダンス・演劇ならLes conservatoires municipaux de Parisなど。

France

フランスで家探し

古い建物には要注意！チェックと文書化でトラブル回避

フランスの建物は寿命が長く、築100年を超える建物はざらで、新築物件はめったに出合えない。水漏れなど古い建物につきもののトラブルは多いが、借り手は住宅保険の加入が義務付けられ、また留学生でも申請できる住宅手当（Allocation de logement http://www.caf.fr/）があったりと、法や社会制度も整っている。住宅事情は厳しく、物件探しは困難だ。契約の際は必ず文書として契約書を作成し、入念に確認してから契約を交わすことが必要。

家具付き「ステュディオ」が一般的

単身向けのフランスの賃貸物件は、家具付き（meublé）のワンルームのステュディオ（studio）が一般的で物件数も多い。屋根裏部屋も簡易キッチンやシャワーが完備ならステュディオと呼ばれ、パリでの家賃相場は700〜1000ユーロ、2部屋以上のアパルトマン（appartement）となると1200ユーロからと、東京に比べてやや高く感じるが、郊外や地方都市の物件なら安くなる。また予算を抑えたい人やひとり暮らしが不安な人は、家主と同居し間借りする貸し部屋（chambre à louer）やシェア（partager）という選択もある。パリ市内を除けば、一軒家（maison）の物件もあるが、1〜2年の短期賃貸はあまりないので、長期在住の予定がある場合に限られるだろう。

物件探しはネットが主流

フランスでは、不動産会社を通さず、手数料がかからない個人同士の賃貸が物件の約半数と一般的だ。よい物件はアノンス（個人広告）を出す前に、口コミだけで決まってしまう。現地の知人などに、物件を探していることを事前に触れ回っておくと、見つかることもある。

個人貸し物件は、フランスの全国紙「Le Figaro」をはじめ、不動産専門の情報誌「de particulier à particulier」（www.pap.fr/）や、フランスの掲示板サイト「leboncoin」（www.leboncoin.fr/）、シェア物件専用サイト「Appartager」（www.appartager.com/）などで探すことができる。更新頻度も高く、手頃な価格も魅力的だ。ただし、大家とのやり取りも含め、フランス語の能力もある程度必要なので、来たばかりだとハードルが高い。

その点、日本人向けのフリーペーパー「OVNI」やネット掲示板「MixB」、「ジモモパリ」、「フランス掲示板」などなら、日本人の入居者を望んでいる場合がほとんどなので、交渉もスムーズだろう。また、在仏日本人会や日系食品店、日系の書店などに設置してある掲示板コーナーの物件情報をチェックする方法もある。善良な大家もいれば、悪質な大家もいるように、個人間で探す際は、広告主の身元を証明するものがないので、貸主本人の見極めも必要だ。

個人間での賃貸に不安があったり、アノンスで希望の物件が見つからない場合は、不動産会社などの仲介業者に頼ることになるだろう。手数料や家賃設定はやや高めだが、日本人経営、もしくは日本人スタッフがいる不動産会社なら、フランスの不動産会社経由より入居審査の条件は緩く、安心度は高い。通常不動産会社では、家賃の3倍以上の給料明細書の提示や在仏の連帯保証人を求められ（保証人の代わりに一定額を銀行に預ける「銀行保証」で対応してくれる場合もある）、とにかく揃える書類も多く、入居審査の条件はかなり厳しい。不動産会社も事務所を構えて営業したり、ネットで仲介するだけなど業態や信頼度もさまざま。「不動産仲介免許」の登録を行っているかも確認したい。

パリのステュディオ。単身向けの賃貸物件で多い

Interview

こだわりと妥協のパリの家探し

パリの大学院生のNさんは、以前は日本で会社員をしており、パリに長期滞在するのは2度目。これまで家探しは比較的スムーズだったそうだが、引っ越しを繰り返したことから、さまざまなタイプの住居に暮らした経験を語ってもらった。

貸し部屋

日本語でネット検索をして、フランス人マダムのアパルトマンの一室を間借りする貸し部屋物件を見つけたが、渡仏前だったため、内覧せずに写真とメールのやり取りで入居を決めたそうだ。

「治安がいい地区であること、住居手当が出ること、家賃が電気代などの管理費込みで800ユーロ以内であること」という条件にマッチした物件だった。貸し部屋のメリットは「いつも誰かが同じ住まいにいると思うと心強く、風邪をひいたりしたときにも助けてもらえる」こと。また、「バスルームなどの共用スペースを、ほかの同居人たちがきれいに使うとは限らないです。その点は覚悟が必要です」と、共同生活をする上での注意点を話してくれた。この部屋を退去したのは、禁煙のルールを守らない学生の部屋から煙が流れてきて辛かったからだそうだ。

パリ市内のステュディオ

パリの中心部のステュディオは、知り合いづてにネットの不動産屋を通して見つけた物件だった。内覧するだけでも費用がかかってしまったが、立地がとてもよかった点には満足だったそうだ。「夜遅いオペラ座の公演を観ても、徒歩で帰れたことがとてもよかった」。また、学校からも近かったので「昼食は家に戻って食べることができ、気分転換とお昼代の節約にもなった」というメリットがあった。難点は家賃が高いことと、水漏れなどが頻繁にあったことだそうで、パリは地区によっては建物がとても古いので、借りる際は特に注意が必要とのこと。

パリ郊外のステュディオ

郊外の中でも治安がよいとされているヴェルサイユのステュディオは、日本語情報誌 OVNI のアノンスで大家と直接連絡をとって決めた物件で、家賃交渉にも応じてくれた。郊外ならではの落ち着いた雰囲気と街並みも気に入ったそうだ。ただし、ストライキなどのときは、交通が不便で心もとないというデメリットも。郊外の物件は安さや広さが魅力だが、街並みや雰囲気は好みが分かれるところなので、現地の視察は念入りに。

パリのオスマン様式のアパルトマン

学生寮

郊外の私営の学生寮は、家賃が安めの地域だったが、意外に物価が高かったのには驚いたそうだ。洗濯機の利用は有料で、寮によって家賃に幅があり、必ずしも安いわけではないという。メリットとしては、郵便物は必ず届き、なにか事件があれば管理人が解決してくれる点で、若い学生さんにはおすすめしたいそうだ。また、寮の敷地内は安全で、机が大きいので、勉強するのには困らない環境が整っている。Nさんはタイミングよく入居できたが、競争率は高く、入居はかなり困難とのこと。

家探しのアドバイス

渡仏前の留学説明会で「学校で勉強についていけなくて落ち込むこともあるので、住まいはある程度納得のいくところで決めたほうがいい」と聞いた。Nさん自身は「家に帰るのが楽しくなるような、なにかがあるといい」と思ったそうだ。

引っ越しをするのにスーツケースでメトロを何往復もした経験や各種書類の住所変更、郵便物の受け取りなどややこしいことも多々あるので、なるべく同じところに住むことをすすめている。「自分は異国人であることを自覚し、自分で譲れない条件に優先順位を決めて、どれかを満たしていればよしと思って住むしかない」と、どこかで折り合いをつけることも必要だそうだ。

フランスの日本人コミュニティ

日本人が一極集中するパリは日本食品店や学校、施設も充実

在仏邦人は現在4万人以上といわれているが、その約3割は首都パリを中心に暮らしている。フランスには数多くの日系協会が存在するが、なかでもパリの在仏日本人団体で、フランス最大の日本人会はフランス滞在のための情報提供や法律相談も受けられ、心強い存在だ。

パリのオペラ座界隈のサンタンヌ通り周辺には日本企業や日本食レストラン、食品店、書店などが集まり日本人街としてパリジャンにも親しまれているが、ほかのエリアでも質の高い日本の飲食店は増えている。

近年の日本食ブームの影響もあって、オーガニックスーパーでは、味噌や豆腐、わかめなどの食材があり、一般のスーパーでも寿司用の米や醤油、インスタントラーメンやみそ汁などが買えるようになったが、種類は限られる。パリやリヨンなら、日本や韓国の輸入食品専門店があり、料金は割高だが品揃えは充実しているので、不自由を感じることはないだろう。地方ならネット注文も可能だ。また大手中華系スーパー（タン・フレールや、地方都市展開しているPARIS STOREなど）なら、日本食材を比較的安価で購入できる。

パリの場合、駐在員を中心とした日本人はパリの西部（15区、16区）とその郊外（ブローニュ＝ビヤンクール、ヌイイ＝シュル＝セーヌなど）の住宅街に住む傾向にあり、日本人向けの学校や文化施設なども、こうしたエリアに集中している。日本の学校と同等の教育を行う日本人学校はパリ郊外のみだが、日本語の補習校は地方も含め多数ある。

Interview

少人数でセキュリティも高い フランスの日本人学校

中学１年生（13歳）と小学２年生（８歳）の２児の母であるM.K.さんは、ご主人の海外赴任のため、５年前から家族でパリ市内に住んでいる。現地校やインター校という選択もあったが、子どもたちの要望で日仏文化学院パリ日本人学校（小中一貫校）を選んだそうだ。

学校はパリから20kmほどのヴェルサイユに隣接した郊外に位置するため、子どもたちはスクールバスで登下校するが、満席で利用できないこともあるようだ。スクールバス停留所はブローニュやパリ15区、16区などの駐在員家庭が住む地域の９ヵ所にある。小学４年生までは、停留所まで保護者の送迎が義務のため、保護者の交流の場にもなっている。また保護者が月に２〜４回ほど行き帰りのバスに同乗するモニター制度があり、安心な反面、負担に感じることもあるという。そのほかにも生徒の転入日順で選出される半年任期のバス役員・班長、１年任期のPTAもあるとのこと。

「小学部・中学部合わせても生徒数が160人程度で息子の中１クラスは11人、娘の小２クラスは19人と少なく、担任教師もそれ以外の教師も生徒ひとりずつの面倒をよく見てくれます」と、きめ細かい指導がなされ、フランス語や英会話の学習も組み込まれていることには満足している。同じ家庭で育った兄弟でも、性格によって外国語へ興味の度合いの差を感じるため、家庭外では積極的にフランス語を話す機会を与えるなどして、フランス社会への適応も心がけているそうだ。

毎年発行される全校生徒と教諭の文集

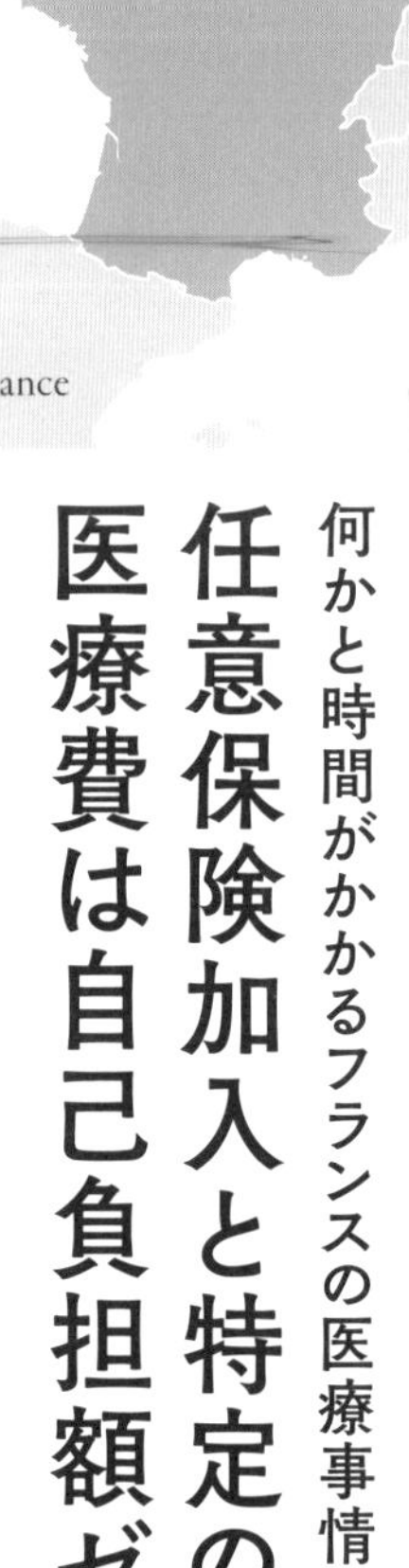

France

何かと時間がかかるフランスの医療事情

任意保険加入と特定の医師選びで医療費は自己負担額ゼロに

フランスの医療機関では、衛生面、医療水準ともに日本と変わらない医療を受けることができるが、システムの違いもあるので気をつけたい。

2段式で医療費を軽減する医療保険

　フランスの社会保障制度(Sécurité sociale）は、①一般労働者（給与所得者や個人事業主、滞在許可を所持する人）、②農業従事者、③その他（フランス国鉄SNCF、電力会社EDF、上下院議員、船員など）というように、職域によって大きく3つに分類されている。公的医療保険（l'assurance maladie）は年金、労災保険、家族扶助などとともに①一般労働者向けの制度の一部という位置付けにある。

　日本と同じ国民皆保険制度を採用しており、フランスで正規の労働許可を得て働いている人は社会保障制度への加入が義務付けられ、無職の人や低所得者は、普遍的疾病保護制度（PUMA）に無料加入できる。

　給与所得者の場合、保険料は福祉税とともに給与から源泉徴収され、家族の人数に関係なく、収入に応じた定率（社会保障費は給与額面の21〜25%、雇用者（法人）は35〜42%）で課せられ、その家族も扶養家族として受給権を与えられる。医療費の負担額は、医師の診察料の場合、基本30%、入院費20%、薬代0〜85%など、内容や条件により異なる。

　この公的医療保険で補填されない自己負担分を、民間保険会社の任意保険（mutuelle）に加入することで補える仕組みがある。それぞれの保険会社による契約内容によって、カバー率も金額も異なるが、公的医療保険とセットで任意保険に加入するのが通例化している。

なお、２０１８年から、長期学生ビザを取得している外国人留学生は一般の社会保障制度に無料で加入できるようになった。保険料が格安の学生向けの任意保険（Les mutuelles étudiantes）もある。

医者のかかり方

公的医療保険に加入すると、ＩＣチップ付きの保険証「carte vitale」が自宅に郵送される。カードには個人情報や保険データが入っていて、診察・検査、薬局の処方の際に必要となる。医療保険でカバーされる診察料や薬代はいったん全額を支払った後に返金される払い戻し方式だが、保険証の提示によって立て替え不要のケースも増えてきた。

フランスではかかりつけ医制度が採用されていて、かかりつけ医の紹介状がなくほかの医療機関に受診した場合は、償還率が悪くなり自己負担額が増えてしまう。かかりつけ医には、保険医登録をした開業医で、おもにGénéraliste と呼ばれる一般医を選択することが多いが、専門医や勤務医も選べる。評判や自宅からの距離なども考慮して選びたい。

またフランスの医療制度下では、医師が所属する3つのセクターがあり、そのセクターによって診察料が変わる点にも注意。セクター1、２は保険医登録をしている医師で、セクター1の医師のみが保険診療となり（基本診察料は25ユーロ）、公的医療保険から70％が返金される。セクター2は医師が自分で診察料を決める半自由診療。セクター3はすべて自己負担の自由診療となる。

医薬分業制が徹底されており、たとえば開業医を訪れても、医師は問診を行って病状に合った指示を与えてくれるのみ。薬は医師が書いてくれる処方箋に従って薬局で購入し、注射が必要であれば近所の看護師に頼むか、保健所などで打ってもらう。検査があれば、それぞれの専門機関に、手術などの治療は医師が指定する病院で受けることになる。

受診は完全予約制。電話以外にオンライン上で医者を検索・予約できるDoctolib という便利なアプリもある。緊急の場合は、病院の急患（urgence）の受付に直接駆け込むか、緊急の医療機関SOS Médecins に往診を依頼する。

France

フランスの教育制度

幼稚園から大学まで公立なら学費は無償 入試はないが、学業はそれなりにハード

フランスの教育制度の特徴は、徹底したエリート教育と教育の平等を実践していることだろう。義務教育は3歳から16歳までの13年間。年齢で規定されているのは、小学校から落第や飛び級制があるからだ。また就学義務はなく、自宅学習も認められている。フランスではほとんどの学校が国立で、私立はごくわずか。学費は公立であれば、一部の費用を除いて、幼稚園から大学まで無償。私立でも年間授業料は数百ユーロから2000ユーロ程度で、日本ほど高くない。また、授業日数が極端に少なく、夏の長期休暇（2ヵ月）のほかに2週間の休暇が年に4回とバカンスが多い。

就学前教育

フランスでは、ほとんどが共稼ぎという社会背景もあり、生後3ヵ月から幼稚園にあがるまで子どもを預けられる保育園のほかに、アシスタント・マテルネル（認可保育ママ）、アルト・ギャルドリー（託児所）などが充実している。保育所・託児所は労働・社会問題・連帯省の管轄で保育費用は有償となり、家庭の収入によって異なる。その後、幼稚園にあたるエコール・マテルネルは3歳（生まれ月によっては2歳）から5歳で、小学校から始まる集団教育に慣れるための教育が行われる。

初等教育（小学校）

フランスのエコール・プリメール（小学校）は5年制。基本的に学校は勉強の場で、社会訓練は家庭教育でなされるべきという考え方が強い。そのため生徒による教室掃除や、運動会のような行事はほとんどない。通学時は、安全面から親やベビーシッターの送り迎えが義務である。登下校時以外は校門が閉められており、関係者以外は勝手に出入りできない。

中等教育（中学校、高校）

フランスの中等教育は、7年制。前期中等教育のコレージュ(中学校)は4年制。最終学年では、成績や適性から後期中等教育の諸学校・課程に振り分けられ、国家統一試験の合格者には、ブルヴェ（コレージュ修了資格証書）が付与される。

後期中等教育のリセ（高校）は3年制。大学進学希望者は普通／技術リセへ進学し、希望する進路に応じ系統を選択して専門科目を学習し、バカロレア（後述）取得をめざす。

職業教育を受けて就職を志す者は、職業リセへ進学し、2年制では職業適性証（CAP）、4年制では職業バカロレア取得をめざす。フランスのバカロレアは、フランスの教育省が発行する中等教育レベル認証（高校卒業認定）の国家資格。国家統一試験に合格した者が、高等教育入学資格を得られる。18歳に達したフランス国民の約8割がバカロレアを取得している。これは、世界共通の国際バカロレア（IB）とは異なるので注意。

高等教育（大学、グランド・ゼコール）

大学（Universities）には入学年齢の制限や入試制度がなく、バカロレアを取得していれば誰でも登録が可能。人気のある大学は成績により合否が決まる。EU共通の学年制で、学士課程（Licence）3年、修士課程（Master）2年、博士課程(Doctorat) 3年。フランスの大学はほとんどが国立大学で、学士は174ユーロ、修士または博士は243ユーロの登録料のみ（EU圏外の留学生は別途学費がかかる）。

一般大学と並立して、グランド・ゼコール（Grandes Ecoles）と呼ばれるフランス独特のエリート養成機関が存在する。高校卒業後さらに2年間準備学級を経て、難易度の高い選抜試験に合格し、3～5年間の課程に進む。少数精鋭主義の学校が主流で、高級官僚・政治家・経営者にグランド・ゼコール出身者が多い。そのほか福祉、看護、建築などが学べる高等職業専門学校（Ecoles／Institutes spécialisés）がある。

Interview

結婚後もフランスでキャリアを続行 時間と費用をかけた書類の数々

日本で公認心理師・臨床心理士として働いていた旅好きのMさん（35歳）。気がつけばフランス語を習い、毎年欠かさずフランス旅行に出かけていた。「フランス人の精神科医が来日するので、世話をしてほしいと共通の友人に紹介されたのが彼でした」。そこから現在の夫との交際がはじまったという。

心理士として働き続けるために

2年間の遠距離恋愛を経てプロポーズされた。フランスでの生活にはまったく抵抗がなかったが、いちばんの不安は、日本で10年間積んだ心理士のキャリアが、フランスで通用しないのではないかという点だった。フランスでも心理士を続けたいと悩むMさんのために彼が調べたところ、外国で取得した資格をフランスでも承認してもらえることがわかった。

そこで、フランスの高等教育・研究・イノベーション省に連絡して書類作りを開始。書類には履歴書、学士・修士の学位記、資格認定書、実習の証明書などに加え、膨大な量の修士論文も必要で、法廷翻訳（注1）する必要があった。「準備から承認まで半年以上、数十万円かかりました」と苦労を明かしてくれた。

コロナ禍での結婚準備と結婚

結婚の情報収集は在仏日本大使館のHPを参考にし、フランスでの婚姻に必要な書類は、彼が住むパリ4区の役所でリストを入手した。ネットの情報は、人によってケースが異なるため、あまり参考にならなかったそうだ。

フランスでの婚姻手続きは管轄の役所によっても違うが、必要書類を揃えて役所で結婚宣誓を行う。これ

パリ3区の役所「結婚の間」での市民婚
©Mari SHIMMURA

が市民婚と呼ばれる結婚式に相当する。日本にいるMさんは、アポスティーユ（注2）の付与された戸籍謄本を2020年2月に来日した彼に託し、在仏日本大使館に代理人として証明書を申請してもらった。4月末に予約していた役所の婚姻届け出はコロナ禍でキャンセル。7月に国境封鎖が解除され、観光ビザで渡仏したが、役所の結婚式の再予約も取れない。しかし、連絡を取っていた役所の職員により、提出書類の有効期限が切れる前になんとか再予約ができた。

その後4区の役所が統合のため閉鎖というトラブルにも遭遇したが、7月末に3区の役所で挙式し、式の後はブラッスリーで参加者と会食を楽しんだ。「異国での緊張した結婚という感じはなく、彼の家族や友人たちに囲まれての挙式はとても幸せでした」。コロナ禍での不安を乗り越え、幸せを皆で共有できたことがうれしかったという。

配偶者ビザを取得し再入国

挙式後に入手した婚姻証書謄本（2ヵ月以内）と家族手帳などの書類を揃え、配偶者ビザ申請のために8月末に一時帰国。挙式日が決まった時点で予約をしておいたので、スムーズに取得できた。

10月に配偶者ビザでフランスに再入国し、移民局（OFII）にオンラインでビザを有効化した。申請金200ユーロもカード決済でき、基礎情報の入力のみでスピーディに完了したそうだ。現在は移民局から召喚状待ちで、後に健康診断、フランス語レベルチェック（DELF A1）、移民のための市民講座の受講、面談などを経て、はじめて配偶者ビザは滞在許可証としての効力を持つ。また結婚から3年後に10年滞在許可証を申請する際には、A2以上のフランス語能力の証明が必要だ。

フランス人との結婚には、書類の期限に注意しながら計画的な書類集めが必要だが「結婚準備は2人で進めるもの。うまくいかないことも2人で共有し、解決し、不安がらずに一歩ずつ進めてほしい。貯金も大切」と、Mさん。日仏往復航空券、渡仏後のOFII申請金、資格関連の書類準備、法廷翻訳代や渡仏前の日本の住民税の一括払いなど、初期費用がかかったのは想定外だったそうだ。

注1：原本通りだと証明された翻訳。在日フランス大使館HPに大使館指定翻訳会社リストが掲載されている。
注2：日本の官公署、自治体等が発行する公文書に対する外務省の証明。

Interview

短期滞在のリピートで習いごとを極める

スタイリストの長瀬典子さん（50代）は、フランスの長年のリピーター。ファッションや映画、グルメなどフランスの文化に魅せられ、フランス語にも自然と興味が湧いた。観光旅行だけでは飽き足らなくなり、習いごとをプラスして暮らすような滞在スタイルを楽しんでいる。

現地で突発的に決めた習いごともあったが、エコール・ルサージュというオートクチュールの刺繍（ししゅう）学校には10年以上前からリピート留学している。きっかけは、ケーブルテレビのドキュメンタリー番組。シャネルの工房でオートクチュール刺繍（リュネビル刺繍）の存在を知り、興味を持ったという。

この学校の特徴は自分のペースでスケジュールが組めること。授業は1コマ3時間で、12時間の体験コース（3時間×4日間）を取ってから8段階あるレベルに進む。滞在許可なしで150時間のプロフェッショナルコースも取得できるが、授業料は高額で技術も特殊、大掛かりな刺繍枠は別途購入が必要で持ち運びもラクではない。宿題も出る。まずは1週間のパリ旅行で体験コースを試してからのほうがよいとのこと。予約困難の人気校なので、できるだけ早めに学校とコンタクトを取り、観光もしたい場合は、余裕を持ってスケジュールを組むとよいそうだ。

日本語のHPもあり、授業はフランス語がメインだが、英語のフォローも受けられる。数年のブランクがあっても、フランス伝統のパリの工房で直に学び続けることができるのは、伝統校の魅力だろう。

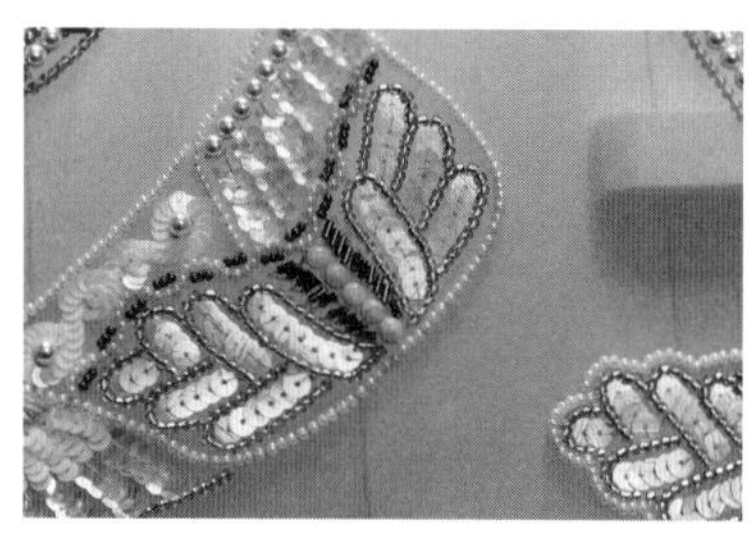

スパンコールやビーズを使う華やかな刺繍

Germany

[第4章] ドイツ

移住先として
抜群の安定感

文・高橋萌、久保田由希

Germany

日本人にも開かれた労働市場を持つ経済大国

就職もワーホリも留学も、ヨーロッパの移住先として安定感抜群

ドイツ連邦共和国
Federal Republic of Germany

■人口……………………8315万人
■GDP……………………4兆ドル
■ひとりあたりGDP………47,803ドル
■実質GDP成長率…………1.5%
■日系企業(拠点)数
……………1,870社(前年比+1.7%)
■在住日本人数
……………44,765人(前年比−1.4%)

ビールとソーセージとサッカーの国でメルヘンな街並みが観光地としても人気のドイツは、日本と同じくらいの面積の国土に約8000万人の人口を抱えている。16の州からなる連邦制をとっていて、州によって祝日も違えば、教育制度も異なる。一口にドイツといっても、長い歴史の中で育まれてきた独自の文化圏はどこも個性的で魅力たっぷり。

移民国家ドイツは日本人人口も多い

総人口に占める外国籍保持者の割合は約12%で、移民の背景を持つドイツ国籍保持者は約13%だ(注1)。つまり、ドイツに暮らす市民の4人に1人がドイツ以外の国にもアイデンティティを持っている。多様な文化が混ざり合う社会の中で、特に大都市では「外国人」は珍しい存在ではない。日本人もおよそ4万5000人が住んでいる。この数字は世界で9番目に多く、ヨーロッパではイギリスに次ぐ2位。日本人コミュニティが根付くデュッセルドルフに約8400人、日系企業の進出が増えているミュンヘンに約4800人、アーティストやスタートアップの起業家に注目されるベルリンには約3

８００人の日本人が暮らしている。

留学やワーホリ、その先のキャリアプランを描きやすい

また、日系企業の拠点数は１８００社を超え、ヨーロッパでは断トツのナンバー１だ。いままでドイツはイギリスと並んで欧州の二大中心地だったが、イギリスのＥＵ離脱に伴い、ドイツの欧州拠点としての重要性はますます高まっている。日本での就業経験や専門知識と語学力を武器にできれば、「現地採用」という道も開けてくる。

ロマンチック街道のローテンブルクなど、中世の美しい街並みがドイツ各地に残っている

留学を考えている人には、ドイツの公的教育機関の授業料の安さがなにより魅力的だろう。世界第3位の人気留学先で、教育レベルの高さも折り紙付き。欧州大陸のど真ん中に位置し、9ヵ国と国境を接しているドイツの他国へのアクセスのよさは旅行好きには大きなメリットだ。

海外で暮らすということは、その国に滞在するのにも、働くのにも「許可」が必要な外国人になるということ。その点、ドイツがほかのヨーロッパ主要国に比べて滞在許可や就労許可を取得しやすいというのは事実だ。ほかの国に住みたかったがビザが取れなかったからドイツで再挑戦したという人もいる。公的年金を5年以上納める、いくつかの条件をクリアすれば無期限の滞在許可を得られる可能性もある。

日本的な環境も充実している

日本とドイツとは直行便でも約12時間かかる距離にある。緯度で見ると北海道よりも高い位置にあり、夏は短く、冬は暗く長い。空気はひどく乾燥しているし、水の硬度は高い。環境も言葉も違う遠い国ではあるが、この国の中にも日本的な環境を見つけることはできる。日本食レストランは人気で、年々その数を増やし、クオリティーも上がってきている。そして、「ヨーロッパのリトル・トーキョー」デュッセルドルフでは、ドイツ語があまりできなくてもドイツ生活をサバイブできるほど衣食住、教育や医療の面で日本人向けのサービスが充実している。

注１：ドイツ連邦統計局2018年調査

目的に応じた必要書類の準備がカギ

ドイツに長期滞在するなら「滞在許可」を取得すべし！

日本国籍保有者が入国後90日間を超えてドイツに滞在するには、ビザなしで入国後に当地の外国人局で「滞在許可」を取得する必要がある。また、ドイツでは「ワーキングホリデービザ（WHV）」も申請可能だ。

外国人局での手続きには時間がかかることもあるため、入国後すみやかに滞在許可の申請を行う。特に、就労目的の場合は、労働許可を得る必要があり、この手続きに数週間から数ヵ月を要する。

ドイツの滞在許可の種類は大きく分けて期限付きの「滞在許可」「EUブルーカード」と、無期限の「定住許可」「EU継続滞在許可」の4つ。このうち、ドイツでの長期滞在をスタートする日本人が通常申請する「滞在許可」に必要な書類（2021年3月現在）は以下の通り。

住民登録証・滞在許可申請書・パスポート・写真・申請料（93～100ユーロ）・医療保険証明書・滞在の目的を証明するもの

おもな滞在目的別の補足事項

就労や留学など、滞在の目的によって用意する書類が異なり、追加の証明書類を要求されるケースもある。

◆被雇用者としての滞在

条件：日本人がドイツで就労する場合、原則としてドイツ人や優先権を持つEU域内などの外国人のポストを奪っていないことが前提となり、通常は労働局による事前の審査が必要。有効な滞在許可と労働許可の両方の交付を受けるまで、一切の就労活動が認められない。

滞在の目的を証明するもの：労働

契約書、雇用証明書・最終学歴の卒業証明書・労働許可証

◆ＥＵブルーカード

条件：高度な資格、専門性を有する外国人に対しては就労許可の手続きが簡略化される。無期限の滞在許可への切り替えが最短33ヵ月で可能。

必要書類：通常の滞在許可申請の必要書類に加え、ドイツの大学卒業資格と同等の大学卒業資格・５万６８００ユーロ（税込み）以上の年収（医師や技術者など特定の職種では４万４３０４ユーロ以上）の証明。

◆語学学校生としての滞在

条件：ドイツ語を学ぶ学生が対象（授業数に規定あり）。年齢制限はなく、期限は最長で1年間。就労は不可。

滞在の目的を証明するもの：語学学校の入学許可書・滞在費用の証明（後述）

◆学生としての滞在

条件：ドイツの大学に入学を認められた学生または、大学入学準備のために学ぶ学生（最長2年間）が対象。アルバイト（上限あり）可能。

滞在の目的を証明するもの：入学許可書、受験通知書、願書受付通知書・大学入学準備の場合は語学学校の入学許可書・滞在費用の証明

滞在費用の証明とは

語学学校や大学に通う留学生が就労を目的としない長期滞在をする場合、滞在中の学費や生活費、帰国費用を賄えるだけの資金があることを証明する必要がある。

・奨学金の支払いを証明する書類。

・ドイツの銀行に閉鎖口座（Sperrkonto）を開設し、滞在予定の全期間について月額８６１ユーロ以上を入金したことを証明する書類（滞在予定が1年間であれば、８６１ユーロ×12ヵ月＝1万３３３２ユーロ以上の入金が必要）。

※日本の金融機関の残高証明書は受け付けない場合もあるため、滞在予定地の外国人局に確認が必要。

◆ワーキングホリデー

条件：18歳以上で、ビザ申請時に31歳に達していない日本国籍保持者。ドイツのワーキングホリデービザを申請できるのは1回限りで、有効期間は最長12ヵ月間。東京のドイツ大使館または大阪の総領事館での申請も可能。申請手数料は無料。

必要書類：長期ビザ申請書類・写真・パスポート・往復航空券予約証明書・滞在費用の証明（最低２０００ユーロの残高証明）・ドイツ滞在期間内に有効な旅行者用医療保険

Interview

労働許可付きの滞在許可取得まで申請前の準備を入念に

ワーキングホリデーで渡独し、その後、デュッセルドルフの日系企業に現地採用されたFさん。採用の知らせを受けて、労働許可付きの滞在許可を申請した。

「ワーキングホリデービザの期限が残り３ヵ月を切っていたので、急いで準備をはじめました。日本から取り寄せる必要があったのは、最終学歴の英語の卒業証明書。あと、健康保険もワーホリ専用の保険だったので、公的保険に入り直す必要がありました」

滞在許可申請の際の書類は、申請者の経歴等から外国人局の担当者が判断し、追加で求められることがある。そのため、会社を通して事前に就労開始希望日や申請者の経歴・採用されたポジションなどを伝え、入念に準備を進めた。

「外国人局へ滞在許可申請をしに行った面談日は、書類を順に提出し、いくつかの質問に答え、サインをし、指紋をスキャン、そして滞在許可の申請手数料を支払っただけ。書類が揃っていたので15分もかからずに滞在許可が下りました」

Fさんのケースでは、採用された企業での就業に限り労働が認められる２年間の滞在許可が下りた。その後、カード型の「電子滞在許可証（eAT）」が発行される。カード受け取りの準備が整うと手紙が来るのだが、１～２ヵ月は待つことになる。すでに労働・滞在の許可が下りている状態ではあるが、カードが手元に届く前に手持ちの滞在許可が失効する場合は、仮ビザの発行を申請することもできる。

日替わりで日本食ランチも楽しめるデュッセルドルフ

Interview

学生として滞在許可を取得するまで 入国前の準備と現地学生のサポートが肝

交換留学生としてミュンスター大学に在籍したＳさんは、観光ビザでドイツに入国し、現地で学生ビザを申請した。

「ドイツへの留学が決まって、最初に準備をはじめたのが閉鎖口座を作ることでした。はじめての留学だったので、日本でできることはやっておきたいと思い、日本でも口座開設の手続きができるオンライン・バンキングを選びました。ドイツの外務省が紹介している閉鎖口座を取り扱っている銀行のリストを参考にしました」

滞在費用の証明として認められる金額は、年によって違い、2021年は月額861ユーロ。

「ドイツに来てからは、まず大学への登録手続きをして学生証とセメスターチケット（P.118）をゲットし、住民登録や学生向け公的健康保険への加入など学生ビザの申請に必要な書類を集めていきました。ドイツでは書類が大事です。留学生をサポートするドイツ人の学生がチューター（補佐）として付いてくれたので、ドイツ語がまだあまりわからない中でもなんとか準備を進めることができました」

交換留学でも正規留学でも、多くの大学に留学生をサポートするインターナショナル・オフィスがある。留学生活やドイツでの手続きで困ったときは積極的に利用しよう。

「早めに動き出したつもりだったのですが、外国人局のアポイントが取れるまで１ヵ月以上待つことになり、緊張しました。面談の際もチューターに付き添ってもらい、無事に学生として１年間の滞在許可をもらいました」

ヴェストファーレン条約締結の街で法学を学ぶ

ドイツ暮らしに必要な生活費は？

ひとり暮らしなら日本と同じくらい、住む場所で予算が大きく変わる

経済大国ドイツ、ヨーロッパ各国の首都や主要都市と比べると物価は安いほうだ。物価水準はEU（欧州連合）平均と比較してもわずかに5%高いだけ、というレベルである。また社会保障制度や保険制度が充実しているため、特に子育て世帯にとっては日本よりも費用が抑えられる面もある。参考までに下記は、単身からファミリーまでドイツの全世帯平均の生活費だ（注1）。

一世帯あたりの平均支出額（月間）

住居：８７７ユーロ
交通：３３５ユーロ
食費：３４２ユーロ
余暇：２５８ユーロ
家具・日用品：１５０ユーロ
衣類：１０８ユーロ
健康・医療：99ユーロ
通信：62ユーロ
教育：18ユーロ
その他：90ユーロ
合計２４８１ユーロ

家賃は地域によって差が大きい

生活費の中でいちばん大きな割合を占めるのが家賃である。もちろん、ドイツ国内でも場所によって大きな違いがあり、たとえば旧西ドイツ地域の都市部に住む場合は、旧東の小さな街よりも家賃は高い。ドイツの住居費用（光熱費・管理費を含む）の負担は、一世帯平均およそ34%（注2）。収入の3分の1が目安となる。

２０２０年第４四半期の都市別月間賃料ランキング（注3）によると、第1位がミュンヘン（1平米あたり17・09ユーロ＝約２２００円）、第

2位フランクフルト（1平米あたり13・49ユーロ＝約1740円）、第3位シュトゥットガルト（1平米あたり12・93ユーロ＝約1670円）だった。ドイツ全体の平均月間賃料は、2021年3月で1平米あたり7・70ユーロ（注4）。

食費は食生活次第で節約可能

ドイツの消費税は19％と高い。しかし、特定の品目には軽減税率7％が適用され、スーパーマーケットに並ぶ多くの食料品、本や新聞、ホテル宿泊費、レストランやカフェでの食事もテイクアウトなら7％だ。店内で飲食すると19％が課されるため、ドイツでの外食は日本よりも割高感がある。日本食レストランもランチメニューで10ユーロ前後（約1290円）、日本食を輸入販売している食料品店で食材を購入すると価格は日本の倍はする。一方、ディスカウントスーパーは自炊する人の強い味方で、近年は大根や白菜、キノコ類、インスタントラーメンまで、日本食に活躍する食材も店頭に並ぶようになった。ビールが安いことでも有名。ビール大国ドイツは、500㎖の瓶ビールが1ユーロ前後（約129円）で購入できる。

交通費・通信費

バスや地下鉄、路面電車など公共の交通機関はゾーン制で、中心部は2〜3ユーロ程度。ICEなど長距離高速鉄道は正規の価格だと日本の新幹線と同程度の料金設定だ。しかし、早割や地域内乗り放題チケットを利用すればぐっとお得に移動できる。利用頻度が多い人は年間で25％、50％、100％割引になる各種「バーンカード」の購入もおすすめだ。

また通信費は、インターネットと固定電話がセットになったもので1カ月30〜40ユーロ程度（3870〜5160円）、携帯電話は、契約なし、毎月解約できるプリペイドSIMカードなら4GBのインターネット通信と国内通話無制限がついて10〜15ユーロ（1290〜1935円）。

ひとり暮らしの生活費の目安

留学生がドイツの滞在許可を申請する際に必要な「滞在費用の証明」では月額861ユーロ以上が基準額となるが、ドイツの学生（単身者）の生活費は月平均で918ユーロにのぼる。旅費や衣類も含まれている金額なので節約の余地はあるが、月に約12万円と見ておくと現実的だ。

注1：ドイツ連邦統計局・2016年　注2：ドイツ連邦統計局・2018年
注3：住宅・不動産の独立研究機関F+B調べ　注4：Immowelt調べ（60〜80平米の住居）

ドイツは治安がよい国？

油断は禁物！ 自分を守るための行動と情報収集が必要不可欠

犯罪発生件数は日本の約7倍

ヨーロッパの中では比較的治安がよい国というイメージを持たれているドイツ。しかし、犯罪発生件数は年間で約556万件（2018年）と日本の7倍に上り、実際に日本人もスリや空き巣、詐欺事件などの被害に遭っている。

ドイツでは、日本と同じような肌感覚で行動していると思わぬトラブルに巻き込まれかねない。レストランやカフェの場所取りにカバンやスマホを置けば、置き引きの被害に遭う可能性は高く、混雑する場所やイベント会場では組織的な犯行グループが常にターゲットを探している。複数人で役割分担して盗みを働くスリの手腕はじつに巧妙で、所持品や貴重品は肌身離さず！ 目を離さず!!が鉄則だ。そして、もしもひったくりや強盗などに遭ってしまったら無理な抵抗はせず、自分の身を守ることを最優先しよう。ドイツをはじめヨーロッパ各国ではテロに対する警戒も強まっている。危険な場所やトラブルを避けるためにも、常に最新ニュースをチェックしよう。

住むのにおすすめの都市

ベルリン、デュッセルドルフ、ミュンヘン、フランクフルトやハンブルクなど、ドイツの大都市には日本人も多く住んでおり、観光ガイドブックには載っていないその土地のリアルな治安情報を日本語で得られるのがいちばんの利点だ。国際色豊かな都市部のほうが、地元住民も隣人に外国人がいることに慣れていて、日本人だからと特別視されることも少ない。留学生や語学学校生にはハイデルベルク、フライブルク、ミュンスターなど中規模な学術都市も暮らしやすいだろう。

避けたほうがよい場所

大都市は利便性やインフラが魅力的な一方で、田舎よりも犯罪発生率が高いことも事実だ。

大規模デモなど、「集会の自由」の権利を持つ市民。内容によっては不用意に近づかない

住居を探す際には入念に地域の情報を確認しよう。日中は活気ある街の風景も、夜間にはガラリと表情を変えたり、ひとつ奥の通りに入ると急に治安が悪くなったりする場所もある。警察当局によって「危険地域」と警戒されている場所は特に要注意。「gefährliche Orte＋地名」で検索すると、各州の警察や内務省が発表した危険地域の通りや広場のリストを見つけることができる。

情報収集がなにより大事

安全安心なドイツ生活を送るためには、トラブルに備えることがなにより大切。特に、ドイツに来たばかりで言葉にも不自由する移住初期は、ドイツ情報を発信している日本語のメディアやSNSを利用するなど、防犯意識を高める努力が必要だ。在ドイツ日本国大使館がほかの4つの総領事館と共同で発表している「安全の手引き」を一読することもおすすめする。毎年更新されていて、直近のドイツの治安情報と注意すべき犯罪の具体的事例を紹介している。

いざというときに頼れる知り合いやご近所さんと信頼関係を構築できると心強い。ただし、見知らぬ人はたとえ日本人であっても安易に信用してはならない。賃貸契約、労働契約など大切な契約や滞在許可、お金についての話は特に、相手の言い分を鵜呑(うの)みにせず、ドイツの法律に照らし合わせて判断する必要がある。ひとりで対処できなければ、専門家の力を借りたほうが、長い目で見て無用なトラブルを回避できるだろう。

3ヵ月以上ドイツに滞在予定なら、居住地の管轄の大使館や総領事館に「在留届」を提出することもお忘れなく。緊急時の連絡、治安情報に関するメールを受け取ることができる。

世界で7番目に日系企業が多い国

ドイツで日本人が就ける仕事と給与相場は？

日本人がドイツで働く場合、「労働許可」が下りるかどうかが重要なポイントとなる。つまり、ドイツ人の職を奪わず、日本語力などその人が仕事に就く必要性が認められるポジションでなければならない。そういった観点から、日系企業、または日本と関係の深い企業への就職が現実的だろう。

日系企業への現地採用

ドイツ国内には1800を超える日系企業が拠点を構えている。これは、中国、アメリカ、インドなどに次ぎ世界で7番目に多い数字で、ヨーロッパの中では群を抜いている。

「ドイツには、商社やメーカーが多く進出しています。ドイツに進出する日系企業が即戦力として求めるのは営業、営業アシスタント、貿易事務、経理、秘書、総務などで、特に現地の企業や役所とのやり取りにドイツ語が必要なポジションでドイツ語のできる現地スタッフを求めています」と、人材紹介会社JACリクルートメントのコンサルタント。現地採用のチャンスは広がっているが、求められる語学力は低くない。

「日独英が応募条件になっていることも多いです。英語やドイツ語ができるといっても、中級レベルだと難しいですね。どちらかがビジネスレベルに達している必要はあります。ヨーロッパ市場の拠点をドイツに置いている会社ですと、営業職にもやはりドイツ語より英語力が求められます。また、国際貿易、エンジニアなどは日本語と英語だけで十分なケースもあります」

語学力＋専門性があって、ようやく即戦力として認められる。かくしてそのハードルを超えたとしても、現地採用と駐在員との間に大きな待遇の差があることもまた周知の事実だ。待遇やキャリアアップ以上に、ドイツでの生活に価値を見出している人のほうが、現地採用という働き方は合っているだろう。

また、日本人向けのサービスを提供している会社やレストランが多い街ならば、ドイツ語が初級レベルでも職を得るチャンスはある。

日系企業・現地採用の給与相場

職種ごとの給与相場をＪＡＣリクルートメントに伺った。

○総務・秘書：３万～５万ユーロ
○営業アシスタント：３万～５万５０００ユーロ
○経理スタッフ：３万６０００～５万５０００ユーロ
○経理マネジャー：５万５０００～８万５０００ユーロ
○営業：３万５０００～８万ユーロ
○技術者：４万５０００～８万ユーロ（以上はデュッセルドルフ、フランクフルト地域の場合。ミュンヘンはさらに10～20％高くなる）

「額面の給与と手取りとのギャップには驚かれることが多いです。ドイツの税金や健康保険料・社会保障費が差し引かれた手取り給与は、日本より低くなるケースもあります。もちろん、ドイツ生活が長くなり、家族がいる場合は、税金や保険が実生活に還元されていることを十分に実感できます。物価も高くありませんし、残業の少なさや、長い休暇など労働者の権利が守られている労働環境も魅力です」

労働許可を取得しやすい国

「ドイツは欧州の中で、労働許可を取得しやすい国のひとつだと思います。ワーキングホリデービザや学生ビザから労働ビザへの切り替えも可能です」

移民に対して厳しい政策を取る国が増えてきている中、労働力不足といわれるドイツは専門性のある外国人労働者を歓迎している。

ドイツでは国際見本市が年間150以上開催され、日本企業も世界にアピールしている

Interview

休暇のために働き、労働者の権利を堂々と主張するドイツ人の姿に衝撃

ドイツ企業に勤めるＮさんは、ドイツで職業訓練を積み、整形外科靴職人の国家資格を得て、現職についている。日本企業で働いた経験もあるため、両国の働き方の違いには驚かされることが多いという。

「日本と大きく違うのは、ドイツの労働者にとって、休暇がなにより大事だということです。新しい年を迎えると、まず同僚と年間の休暇予定のすり合わせです。学校に通っている子を持つ親にとっては切実な問題でもあるようですが、夏の長期休暇は２～３週間まとめてとる人が多い。病欠のために有給を残しておくという考えはありません。病欠の場合は、病気休暇を取得できるからです」

年間６週間までの病欠は有給の病気休暇として休むことができる。さらに、看病が必要な子どものための病欠も10日間認められる。

「もちろん職場内では、休暇や病欠を理由にたびたびスタッフが欠けるわけですが、その際の引き継ぎがまぁ適当です。担当者が不在だからと完全にストップする仕事もあり、お客さんに迷惑がかかると日本人としては恐縮しますが、ドイツでは、しょうがないね、で終わります。また、労働者側からの給与交渉や権利の主張も激しいです。さすがストライキが頻発する国です。上司や同僚と仕事後の飲み会もありません。会社の食事会は年に２～３回です」

入社時に分厚い労働契約書を交わすドイツでは、新入社員が定時きっかりに帰っても誰も驚かない。プライベートや家族との時間より仕事が大事だという人のほうが稀だろう。

職業訓練生時代からお世話になっている職場に就職

Interview

フリーランスはときに不自由だから リスクを見越して使える制度はしっかり使う

ドイツの日系企業を退職した後、フリーランスのライター・翻訳者となったＭさん。

「失業手当と起業家向け助成金をもらいながら約１年かけて独立の準備をしました。失業期間はステップアップのチャンスとばかりに労働局の担当者の方から、語学など磨きたいスキルはあるか？と、さまざまな支援を提案してくれたのには驚きました。労働局ってもっとギスギスした場所だと思っていたので。無期限の滞在許可を取得してからの独立だったので、ビザの切り替えや更新という面でのストレスはありませんでした」

フリーランサーとして仕事をしたいという明確なプランを持っていたＭさんには、起業準備のためのコーチング参加が提案された。

「コーチングしてくれた起業カウンセラー自身も、労働局から業務委託を受けている現役フリーランサーで、実体験を踏まえたリアルな情報を聞けたのはよかったです。起業に際してビジネスプランや営業力と同じくらい、いざというときに生活を防衛できる体制を整えておくことが大事だと、独立して数年が経ったいま、ますます実感しています」

ドイツでは約140万人がフリーランサーとして働いている。フリーランスも任意で失業保険に加入でき、産休や育児休暇を取得できる健康保険のプランを選ぶこともできる。会社という後ろ盾がないからこそ、これからのライフプランや病気、不況など不測の事態に備えることで、より安心して事業に集中することができるだろう。

日独企業が集うイベントでネットワーキング

教育の質は高く、学費も物価も安い

世界第3位の人気留学先ドイツでスペシャリストをめざす

アメリカ、イギリスに次ぎ世界で3番目に人気の高い留学先であるドイツで、国際感覚を養い、専門分野に磨きをかけよう。

大学・大学院

ドイツの州立大学は、学士でも修士でも授業料無料のところが多い。EU加盟国以外の留学生に対して1学期あたり1500ユーロの授業料を課すバーデン=ヴュルテンベルク州や一部の課程、私立大学などは有料だ。また、州立大学では共済費を納める必要があるが、金額は1学期あたり150～250ユーロほどで学生カード（セメスターチケット）が発行され、一定区域内の公共交通機関を無料で利用できる。このように、英語圏や日本より大幅に費用を抑えながら高等教育や研究を続けられるドイツ。授業も試験も論文もすべて英語で受けられるインターナショナルなプログラムも多くある。

ドイツの大学に出願するには、それまでの学校の成績や卒業証明などに加えておもにドイツ語の語学力を証明する書類が必要だ。求められるレベルは希望する学部や学科により異なり、大学入学をめざして「語学留学」から準備を始める留学生も多い。学科や授業料、奨学金、英語コースの有無などドイツの大学については、「ドイツ学術交流会（DAAD）」のウェブサイトをチェック。

語学学校

まずはドイツ語！ならば、世界中から生徒が集まる語学学校で目標とする語学レベルをめざそう。公的機関であるゲーテ・インスティテュートをはじめ、各地の私立学校には学生寮を備えていたり、ホームステイ先を紹介してくれる学校もある。中には日本語対応が可能なところも。授業の質の高さと同様、街の雰囲気やサポート体制など、生活環境としても魅力を感じられる場所だと、安心して学びに集中できるだろう。

職人養成プログラム

マイスター制度の長い伝統を持ち、職人の国としても知られるドイツで、国家資格取得をめざし留学する職人の卵たちもいる。たとえば、パンや製菓、生肉、ワイン・ビール醸造、整形外科靴、家具木工などの手工業分野で「ゲゼレ（職人）」と呼ばれる資格を取得するには、ドイツのデュアルシステムの教育を受ける必要がある。これは、定時制の職業学校に週1〜2日通いながら、週3〜4日は民間企業で見習いとして職業訓練を受けるスタイル。業種によって必要な職業訓練の期間は異なり、3〜4年ほどの見習い期間を終えたあとにドイツ語で筆記試験と実技試験を受ける。合格してゲゼレの資格を得た職人は、さらに「マイスター（親方）」の資格に挑戦することもできる。

サッカー留学

ドイツといえば、世界トップレベルのサッカー強豪国で、プロのサッカー選手として活躍することを目標とする中高生や大学生がサッカーの本場ドイツで挑戦することをサポートするエージェントも数多くある。クラブでの練習参加やトライアウトを経て、正式なオファーを受けることができたら、ドイツはもちろん、ヨーロッパ各国のスカウトの目に触れる機会が増すのも魅力のひとつ。

親子留学（教育移住）

子どもが小さいうちから多様な価値観や言語に触れさせたいと、教育の一環として海外に学びの機会を得ようとする親子留学。ドイツでは、インターナショナルスクールや現地校という選択肢がある。ドイツの教育制度や体験談についてはP．128〜をご覧いただきたい。現地校での教育は親子双方に高い言語能力を求めること、また子どもの日本帰国後の進路やその後の将来を左右する決断になることを踏まえ、相応の準備が必要で、ドイツで安定した生活基盤を得るには親が滞在許可取得の要件を満たしていることも重要だ。

大都市はどこも部屋不足

貸し手市場での部屋探しは スピード、根気、妥協が大切

３ヵ月以上の長期滞在なら、まずは住まいを決めて役所に住所登録することが重要だ。住所なしでは滞在許可申請や銀行口座開設などの諸手続きができないからだ。ただし、ドイツの大都市は貸し手市場。外国人は、ドイツ人に比べればやはりハンデがある。なんらかの妥協を前提にしないと、見つけるのは難しい。

都市中心部の住まいは、集合住宅が基本。築１００年を超えるものから新築までさまざまだ。２~４部屋にキッチンとバスルーム（バスタブがない場合もある）が付いた間取りが主流だが、日本でいう１Ｋタイプもある。一戸建ては郊外に多い。大学生なら、学生寮も選択肢に入るだろう。語学学校では、ホームステイを斡旋するところもある。

ひとり暮らし？ シェア？

借りる方法は大きく２つに分けられる。ひとつは自分が借り主として契約する方法、もうひとつは誰かとシェアして住むやり方だ。アパートシェアをドイツではＷＧ（ヴェー・ゲー）と呼んでおり、誰かが借りている３ＤＫアパートなどの一室に入居する。各自個室を持ち、キッチンとバスルームは共同使用という住み方で、すでに電話回線などのインフラが整った状態で入居できるのが大きなメリットだ。同居人たちとのコミュニケーションが必須なので、語学を勉強したい人には向いている。

ＷＧを探すにはネットがいちばん。情報が豊富なサイトはWG-gesucht（注１）。日本語で探すのならMixB（注２）を見るとよい。どちらのサイトも貸し物件情報だけでなく、自分が物件を探していることも載せられる。貸し手市場なので、少しでもよいと思ったらすぐに連絡し、数多く応募しよう。家賃支払い能力や語学力のアピールも大切だ。応募しても返事が来ないこともよくあるので、気にせずにどんどん探すほうがよい。

WG探しで注意したいのは、住所登録が可能かどうか、家具付きかナシか、入居可能な日程など。WG情報には一時的な間貸しも多く、住所登録ができない物件もある。90日以内の滞在で日本に帰国するのならよいが、ドイツに長期滞在するのなら住所登録可能な物件に住む必要がある。また、詐欺も発生している。あまりにも好条件だったり、物件を見学できなかったり、契約前に入金を迫られたりしたら要注意だ。

長期滞在で、WGでなく単身または家族で暮らすなら、前述の2つのサイトのほかに賃貸物件サイト（注3）を見るか、エージェントを通して探す。物件によっては、キッチン設備が付属していないこともあり、その場合は自分で揃えないとならない。大都市では日本人オーナーの物件もある。多少割高なことが多いが、日本から探したり、言葉に不安があるならば、安心感があるだろう。

家賃（ミーテ）表示にはヴァームミーテとカルトミーテがある。ヴァームミーテは暖房費や共益費込の額で、カルトはそれを含まないため、実際に払う家賃はそれよりも上がる。なお、電話回線代や電気代などはヴァームミーテには含まれていない。

家賃や立地で可能性を広げる

住宅不足の現在、住まい探しには熾烈な競争が繰り広げられている。外国人が部屋を見つけるには、支払える家賃の上限を高額にしたり、郊外も積極的に探したりしないと、なかなか難しいのが現状だ。WGならば、ドイツ語または英語ができないと厳しいだろう。

また、家探しは現地にいる人がやはり有利だ。日本で探すのならば、エージェントの利用や、日本人の大家に連絡を取ると見つかりやすいだろう。ネットのドイツ関連コミュニティで聞いてみるという手もある。

ドイツに来てからなら、ネットやエージェントを利用すると同時に、とにかく周囲に部屋を探していることをいって回ろう。スピードと根気、妥協、タイミングといった要素が重なって、部屋は見つかる。

注1：WG-gesucht　https://www.wg-gesucht.de/　注2：MixB　https://ger.mixb.net/
注3：大手はImmobilienScout24　https://www.immobilienscout24.de/

Interview

サイトや不動産会社を利用し、よりよいアパートを探し続ける

日本で短期滞在用住居を確保

2018年からベルリンに住んでいるKさん夫妻。ドイツ入国後に現地でワーキングホリデービザを申請し、ベルリン生活をスタートさせた。ワーキングホリデー期間の1年間が過ぎてからは、フリーランスビザを取得し、2人とも日本で行っていた仕事をリモートで続けている。

ドイツに到着してから一時的に住むための住まいは、日本を出る1ヵ月前からMixB（P．120）の掲示板で探しはじめた。MixBは日本語で住まいや求人情報を掲載しているサイトなので、日本からでも部屋が探しやすい。日本で探した短期貸しの部屋には1週間、その後は長期貸しの部屋がすぐに見つからなかったので、別の短期物件に1ヵ月滞在した。

長期滞在用には不動産会社を利用

長期で住むための住所登録できる物件は、ドイツに来てからすぐにヨーロッパにある日系不動産会社を利用して探しはじめた。条件は、家具付きで家賃が1000ユーロ以内ということ。はじめてのベルリン暮らしで土地勘がなかったKさん夫妻は、落ち着いた西ベルリンを中心に物件を探してもらったという。不動産会社から紹介されたアパートを2～3軒見学して、西ベルリンにある、ひと部屋とキッチンにバスルームという間取りの家具付きアパートに入居が決まった。38㎡との説明だったが、天井が低め（とはいえ日本と同程度の高さはある）だったためか、狭く感じたという。2人とも在宅での仕事なので、ひと部屋に常に一緒にいるのも圧迫感があり、家賃は割高だと感じた。

「それでも日当たりがよく、移動や買い物に便利なロケーションは気に入りました。家具付きだったので、入居後すぐに生活できたのもよかったです。逆にいえば、家具があると部屋のインテリアを大きく変えることはできません。借りた部屋はアジアっぽいテイストで、好みに合わずに落ち着きませんでした。テレビや電子レンジなど、自分たちは使わない家電も多かったです」と、Ｋさん夫妻は話す。

ベルリンには築年数が１００年を超えるアパートが多い。新築にはない優美な趣があり、天井が高く、室内の設備はリノベーションされているので人気があるが、水回りや電気系統のトラブルも起きやすい。２人のアパートはそこまで古くはなかったが、たびたび故障に悩まされた。その際は大家に連絡し、そこからアパートの管理人が修理に来る流れで、修理費の請求はなかった。しかし、同様のトラブルに見舞われた友人の中には、修理費を請求された人もいるそうだ。

不動産会社と交わした契約は1年ごとの更新で、その際は会社に契約更新料を支払うことになっていたが、高い家賃や水回りのトラブルなどから、契約更新には至らなかった。

サイトで見つけた次の住まい

ドイツで申請したワーキングホリデービザが無事に下り、ベルリン生活が半年ほど過ぎてからは、生活も落ち着いた。引っ越しを考え始めたＫさん夫妻は、今度は不動産会社を利用せずに、ImmobilienScout24という賃貸物件サイト(Ｐ．１２１)を使って自力でアパートを探すことにした。

しかし、必要書類を揃えて探すものの、３ヵ月してもいっこうに見つからない。いま住んでいるアパートの契約終了日も迫ってくる。焦りはつのったが、退去日の3日前になって、ＷＧ探しのサイトであるWG-gesucht（Ｐ．１２０）で、住所登録可能な長期滞在できる物件が見つかった。このサイトには、シェア用の部屋以外に、空き物件情報も載っている。やはり、できるだけ多くのサイトを常にチェックしておくことは大切だ。

現在は、MixBで見つけたアパートに暮らしている。いきなり最初から理想の住まいを見つけるのは難しい。多少の妥協を伴って入居してからも、物件サイトのチェックを欠かさずに探し続ければ、条件のよいところにめぐり合う可能性はある。

Germany

ヨーロッパのリトル・トーキョー

語学に自信がない人の移住もデュッセルドルフなら安心

ロンドン、パリに次いでヨーロッパで3番目に大きな日本人コミュニティを擁するのがドイツ北西部に位置するデュッセルドルフ。人口約60万人のこの街に、約8400人の日本人が住んでいる。400社以上の日系企業が進出しているため駐在員の数も多く、日本語でサービスを受けられる環境が充実している。

一歩お店に入れば、そこは日本

デュッセルドルフなら、ドイツにいながら日本の居酒屋やラーメン屋にいる気分になれる場所があちらこちらにある。たとえば、中央駅前のインマーマン通り周辺はラーメン激戦区として知られ、ミシュランの星付きの日本食レストランもある。そのほか本屋、クリーニング屋、語学学校、不動産会社など、日本人向けのサービスが多く展開されている。週末には日本食や日本人美容師の技術を求めて、近隣諸国から在外邦人がやって来る。日本人医師や助産師、医療通訳が常駐するクリニックもあり、あらゆる健康トラブルに日本語で対応してもらえる環境がある。

日本人学校や幼稚園、お寺があり、ドイツ駐在員の家族が多く住むオーバーカッセル地区も人気だ。日本人向けの習いごとも豊富で、帰国後の受験準備ができる学習塾も複数ある。

日本フェス「日本デー」やドイツ最大のコミケ「ドコミ」など、日本文化の発信地でコスプレイヤーの聖地としても知られる

Interview

デュッセルドルフ日本人学校
現地文化に触れ、日本語で学べる環境

日本人学校６年生と３年生、日本人学校に入学予定で現在は現地の幼稚園に通っている年長さんの３人をデュッセルドルフで育てるＯさん夫婦。数年後に日本への帰国を予定している家族にとって、日本の学習指導要領に則り、日本政府によって派遣された教員が授業をする日本人学校はベストな選択だという。

「日本人学校は基本的に帰国後の学校生活や学業へスムーズに適応するための学校です。そういう選択肢があることは私たちのような家族には本当にありがたい。先生も生徒も日本各地、世界各国から集まってくるので、幅広い視野が与えられることもメリットのひとつだと思います。ただ、給食や集団登校がないので、親の負担は日本の公立学校よりもちょっと大きいかもしれません」

日本と似た学習環境の中、生徒たちは母国語で伸び伸びと学んでいる。一方、先生も生徒も３～４年のサイクルでごっそり入れ替わるのは、日本人学校ならではだ。

「年間100～150人くらいの生徒が転校していくので、お別れすることにも慣れてしまっているのは残念。でも、生徒全員が転校生の感覚を持っているので、新しく入ってきた生徒への対応がとても親切です」

国語や英語よりも授業数の少ないドイツ語の授業だけでドイツ語が流暢に話せるようにはならないが、学校の行事はドイツ社会との交流を目的としたものも多く、サッカーなど現地の習いごとに積極的に参加する生徒もいる。生徒も家族も限られたドイツ生活を満喫している。

日本の学校と同様に入学式や運動会も行われる

診療を受ける前に知っておきたい医療制度

居住者は必ず疾病保険に加入し、診察の際は開業医を訪問する

疾病保険の加入は義務

ドイツに居住するには、疾病保険の加入が義務付けられている。疾病保険には「公的保険」と、民間会社の運営による「プライベート保険」の2種類があり、それぞれ条件や内容が異なっている。

◆公的保険
gesetzliche Krankenversicherung（GKV）

疾病保険金庫（Krankenkasse）が運営する保険で、ドイツ居住者の約9割が加入している。疾病保険金庫にはAOK、BKKなどがあり、加入者は自分で加入先を選べ、保険料は収入によって決まる。公的保険なら診療費の自己負担は基本的にゼロだが、保険でカバーされる治療や薬代、検査代には制限がある。たとえば、虫歯で保険が適用になる治療内容は制限されており、その範囲外に当たる治療費は自己負担だ。公的保険に入ると、自動的に年金にも加入することになる。無期限定住許可（いわゆる永住権）の取得をめざすのならば、最低でも60ヵ月の年金を支払っていることが条件のひとつだが、公的保険なら近づける。

◆プライベート保険
Privat Krankenversicherung(PKV)

収入が基準額を超える場合には、プライベート保険に加入することもできる。保険料は収入とは関係なく、健康状態や年齢などで決まり、保険会社によっても異なる。契約内容にもよるが、一般的に公的保険よりもカバーされる範囲は広い。ただし、一度プライベート保険に加入すると、その後たとえ収入が減ったとしても公的保険に戻ることは非常に困難だ。また、年金はセットではない。

◆芸術家社会保障Künstlersozialkasse（ＫＳＫ）

アーティストや著述家を援助する社会保障制度。芸術や著述を生業とする人（外国人も対象）がＫＳＫに書類を揃えて申請し、審査に通ると、各自が加入する公的保険と年金の半分をＫＳＫが支払う仕組み。

ワーホリや留学での保険は？

ワーホリや留学でドイツに滞在する際も、保険の加入は義務だ。滞在許可申請の際には、保険加入証明書を求められる。ワーホリや語学留学での滞在ならば、全滞在期間をカバーする民間会社の旅行保険に入るのが一般的だ。ただし、歯の治療や妊娠もカバーする保険でないと、滞在許可は下りない。それらをクリアするドイツの保険にステップインやケア・コンセプトがあり、インターネットで申し込める。これらの旅行保険は最長5年間加入ができ、年金は含まれていない。大学に留学するのならば公的保険に加入するが、30歳以上は公的保険には入れないので、民間会社の保険を契約する。

医師の診察を受けるには

診察は緊急でない限り予約制。予約は電話で行うほか、Doctolibなどの予約アプリも便利だ。診察当日は、窓口で保険証（カード）を提出する。公的保険の場合は、診察には開業医を訪れることになっており、病院でのさらなる診察や手術などが必要なときは開業医が紹介状を出してくれる。風邪でいきなり病院へ行くことはないので注意。開業医によってはプライベート保険加入者しか診ないこともあるので、予約時に確認を。また、大都市の中心地では新規患者の予約を取らない開業医もいる。

公的保険加入者なら、基本的に診察時での支払いはない。プライベート保険ならば、後日加入者に請求書が送られてくるので、いったんそれを自分で銀行口座に振り込んでから、保険会社に請求を行う。医薬分業なので、薬が出る場合は医師から受け取った処方箋を持って薬局へ行く。

緊急の際は病院の救急外来に行くか、電話番号112で救急車を呼ぶ。また、薬局は当番制で日曜もどこかが開いている。インターネットで「notapotheke」の後に地域名を入れて検索するとよい。

Germany

ドイツで教育。日本人家庭にとっての選択肢は？

学力や適性、ドイツ滞在年数に応じて学校を選ぶ

ドイツの義務教育期間は、9～10年で日本とほぼ同じ。大きく違うのは、小学校卒業後に進学先が複数に分岐すること。「ドイツでは10歳で将来が決まる」といわれるのはそのためだが、教育改革が進む近年は学校の選択肢が増え、学力に応じた転入も可能になっている。一方で教育に関する権限は州にあり、教育制度や授業内容も州によって大きく違う。

現地の公立学校

ドイツに長期滞在する予定で、親も子もドイツ語でのコミュニケーションに意欲的ならば、現地の公立学校への進学が一般的な選択肢だろう。公立学校の授業料は無料。小学校は昼食前に終わる半日制の学校がまだまだ多く、学童保育を利用する場合は、保育料や給食費が別途かかる。小学校は4年制を採用している州がほとんどだが、ベルリンとブランデンブルク州は日本と同じ6年制だ。

そして小学校卒業後、いよいよ進路が分岐する。大学入学資格の取得をめざす「ギムナジウム」、専門学校や職業専門学校に進む「レアルシューレ」、職業学校で職人の道をめざす「ハウプトシューレ」の3つが伝統的な中等教育機関だ。しかし、学歴を重視する家庭が増え、ハウプトシューレの人気は低下している。一方、学年が進んでからでも自分の適性に合った進路を選べる「統合学校」が第

ドイツの「ランドセル」は安全性を重視したカラフルなデザイン

四の選択肢として設置され、すべての学力の子どもに開かれた学校として、その数を増やしている。

ドイツには高校入試や大学入試など一発勝負の受験勉強のプレッシャーこそないものの、定期テストや日々の授業への取り組み、発言に対する評価が進路を左右するという意味では、気の抜けない学校生活が待っている。また、どの進路を選択するにせよ、「新卒一括採用」のないドイツでは就職の際に即戦力と専門性を求められる。そのため、学生のうちからインターンなどを通して職業経験を積んでいく必要がある。

現地の私立学校

ドイツで私立学校に通う生徒は、全体の約1割。増加傾向にあるもののまだ数としては少ない。ドイツでいちばん有名な私立学校は、日本でシュタイナー教育として知られるヴァルドルフ学校だろう。芸術を多く取り入れる教育方針は、自主性を育むモンテッソーリ学校と並び、子どもの学力向上のみを重視せず、その子の人格や成長に合った教育法を求める家庭から支持を得ている。伝統的なカトリック学校やプロテスタント学校、インターナートと呼ばれる寄宿舎での寮制の学校など、エリート教育を重視する私立学校もある。学費の目安は年間約80万円。学校の方針によって費用は大きく異なる。

日本人学校

日本国内の小・中学校と同等の教育を行う目的で設置されている全日制の学校で、日本に帰国後の転校や進学がスムーズにできるため、ドイツ滞在が短期と見込まれる駐在員の家庭の子どもが多く在籍する。ドイツ国内には、デュッセルドルフ、ハンブルク、フランクフルト、ベルリン、ミュンヘンの5ヵ所にある。学費の目安は年間約65万円。

インターナショナルスクール

ドイツ国内には約20のインターナショナルスクールがある。授業はおもに英語で行われ、国際バカロレアの修了資格を取得できる。学費の目安は年間約２５０～３００万円と決して安くはないが、ドイツ滞在が短期、または中期の予定で、英語の学習を重視する家庭にとって、手厚いサポートが受けられるインターナショナルスクールは魅力的な選択肢だろう。

Interview

教育機会の平等や多様性を実感
正解のない分岐型の進路選択には悩みも

　ドイツで事業を営んでいるＩさん夫婦には、小学1年生とギムナジウム3年生の2人の息子がいる。2人とも現地の幼稚園でドイツ語にある程度慣れてから、モンテッソーリ教育を実践している公立小学校に入学した。公立といえども学校によって特色は大きく異なり、学校選びは各家庭に委ねられている。

ドイツの教育環境の魅力とは？

「公立の学校は学費が無料であることが何事にも代え難いメリットだと思います。親と子の努力次第でお金の心配なく進路を選択でき、大学で学ぶこともできます。また、同じクラスに通うご家庭を見ても本当に国際色豊か。さまざまな国籍や文化的背景を持った生徒が席を並べていて、それが当たり前の風景です。外国人の受け入れやサポートについても充実していると思います」

　子どもの教育機会の平等が保証されており、低所得家庭は学童保育や給食の費用の免除、習いごとや課外授業の費用のサポートを受けることもできる。移民の背景のある生徒向けには、ドイツ語の補習授業もある。

「それに、全体的にのびのびしているなと感じます。夏休みの宿題はないし、時間の使い方、勉強するもしないも個人の問題。価値観の押し付けや、よくも悪くもみんな横並びに、という感じがありません」

小学校卒業後の進路に正解はない？

　長男は小学校4年を終了後、大学進学をめざす学校「ギムナジウム」に入ったが、分岐する進路選択は、選んだ後も悩みは尽きないという。

「子どもの将来の選択肢をなるべく

広く持たせたいと思って、我が家としてはギムナジウム一択で当時は考えていました。本当はドイツ語が少し足りない状態だったけど担任の先生に強く要望して、なんとかギムナジウムの推薦書をもらいました。実際に入学してみたら、無理して入った分、常に大変な状態が続いています。いま思えば、アビトゥア（大学入学資格試験）を受けるのがギムナジウムより1年遅い『統合学校』という選択肢もあったかもしれません」

ギムナジウムなど中等教育機関はもちろん、ドイツでは小学校でも留年や落第がある。

「最近は、先生からギムナジウムの推薦書をもらっても、あえてレアルシューレや統合学校への進学を選ぶ家庭もあり、統合学校の人気と需要は年々高まっているようです」

進学先によって将来の職業が決まってしまうと気負いすぎる必要はない。簡単ではないが、生徒の意欲と学力で、いつからでも挽回できる。

学校でトラブル発生、そのとき親は？

いじめや学業、担任の先生とのトラブルなど、学校生活をめぐる問題に直面したとき、親はどのように対応をすべきだろうか。

「まず、日本人、アジア人だからという理由で特別視されなさそうな、雰囲気のよい、多様性を尊重している学校を選ぶことが大事です。それでも、もしトラブルが起きてしまったら、親同士で話し合うのではなく、すぐに担当の先生に相談する。先生の対応に不満があれば、校長先生に直接、相談したほうがいいです。解決方法として、転校する生徒の話もよく聞きます。学校や先生に意見を伝えたり、解決のために積極的にコミュニケーションを取ったりするのはとても大事なことで、長男のときは私たちもドイツ語にまだ慣れていなくて大変でした。ドイツ語で渡り合えるくらいだと安心ですよね」

ドイツの学校では、筆記テストの結果だけではなく、授業中の発言が重視される。筆記試験の点数と授業中の発言の評価が半々くらいの比重で評価されるほどで、とにかく自分の意見を発言しないと成績が上がらない。日本人家庭にとって、現地校をサバイブするための言語の壁は低くない。

しかし、あらゆる努力と葛藤が、人生を生き抜く力と豊さにつながると信じて親子の挑戦は続く。

ドイツの小学校の教室

住む目的によって滞在に適した都市は変わる

地域色が強いドイツ

ドイツはもともと独立国家が集まってできた国である。そのため、現在も州の権限が大きい連邦国家で、日本のように権限や経済が首都に一極集中しているわけではない。この点が日本とは大きく異なる。

地域色は非常に強く、文化や人の気質はかなり違う。もし漠然と「ドイツに住みたい」と考えているのならば、自分がイメージするドイツや、現地でやりたいことを明確にすることが、充実した生活への第一歩となる。結婚による移住や、日本企業からの赴任なら居住地は自ずと決まっているが、現地採用を希望していたり、フリーランスやアーティストとして滞在したい場合は、自分に合った土地を探すことをおすすめする。

日本人が多いデュッセルドルフでは日系企業や日本人向けサービスが多く、それだけ現地採用のチャンスもあるといえる。フランクフルトも同様の傾向だ。首都ベルリンには日系企業は少ないので、この街で就職をめざすのなら、グローバルな人材を取るスタートアップが可能性としては高いだろう。フリーランスやアーティストも多く住んでいる。

90日以内の短期滞在や語学留学なら、純粋に興味のある都市に住めばよい。滞在期間中に積極的に旅行をして、将来本格的に住みたい都市を探すのもいいだろう。

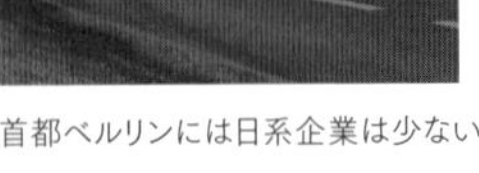
首都ベルリンには日系企業は少ない

The Netherlands

［第5章］オランダ

外国人が住みやすい
自由と寛容の国

文・山本直子

The Netherlands

ヨーロッパの人気移住先

就労ビザが取りやすく、外国人や子どもにやさしい

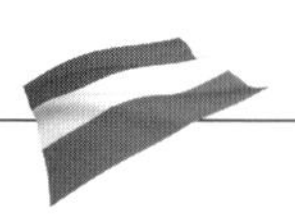

オランダ王国
The Netherlands

■人口……………………1,738万人
■GDP……………………9,145億ドル
■ひとりあたりGDP………53,228ドル
■実質GDP成長率…………2.6%
■日系企業(拠点)数
……………595社(前年比+47.3%)
■在住日本人数
………10,607人(前年比+6.2%)

オランダは外国人が住みやすい国として国際的に知られており、ヨーロッパの移住先として人気がある。ほかのヨーロッパ諸国と比べて治安が良好なほか、国民の9割が英語を話せるため、オランダ語ができなくともとりあえず生活していくことができるというのが移住のハードルを下げている。オランダの大学では英語で授業を受けられるコースも多く、大学・専門学校の留学先としても魅力的だ。

また、オランダはヨーロッパの小国として、昔から外国との交易で栄えてきた歴史的背景があるためか、異文化に対してもオープンで寛容な人が多いのも特徴。最近は一部の移民による犯罪の増加や社会の分断化などを受け、残念ながら移民排斥の動きも見られるが、総じてオランダは外国人にやさしい国といえる。

さらに、オランダは「子どもにやさしく、子どもの幸福度が高い国」としても定評がある。このため、子どものためによりよい環境を求めて移住する日本人も増えてきている。

日本人は起業ビザが取りやすい

ヨーロッパの中心部に位置する地理的条件や陸海空の交通の便もよく、

オランダはヨーロッパにおけるハブ的な存在でもある。そのため、多国籍企業がオランダに統括会社や持ち株会社、金融子会社を置くケースが多く、日系企業もその例外ではない。

近年はイギリスのEU離脱を受けて、オランダにEU統括会社を設ける会社が増えており、外務省によれば、2019年10月時点でオランダに進出している日系企業の拠点数は595社。ヨーロッパではドイツ、イギリス、フランスに次ぐ数の日系企業を擁する。日本人がいちばん雇ってもらいやすいのはやはり日系企業なので、オランダに拠点を設ける会社が増えているのは、日本人にとって心強い。

運河が広がるオランダ・アムステルダム

オランダは、日本人にとって就労ビザが取得しやすい国でもある。一時期は日本とオランダが明治時代に交わした「日蘭通商航海条約」がまだ有効であるということが判明し、日本人は就労ビザを取得しなくともオランダで働けることになり、2015～2016年には多くの日本人がこの特権を利用してオランダに移住した。しかし、この「ビザなし労働許可」はその後変更され、2017年からは再び労働ビザ取得が義務付けられている。

それでも、ほかのヨーロッパ諸国などに比べると、「個人事業主ビザ」が特に取りやすく、現在も多くの事業主・フリーランサーを惹きつけている。ただ、ビザを更新してオランダに住み続けるためには、事業を継続し、生活していけるだけの収入がなければならないことはいうまでもない。

ワーキングホリデーも可能に

2020年4月からは、日蘭間でワーキングホリデー制度も導入された。若者の交流や相互理解を目的に、最大1年間の滞在を許可する制度で、滞在期間中の旅行・滞在資金を得るための就労も認められている。毎年最大200人限定だが、条件はさほど厳しくないため、ある程度資金があり、オランダ生活を経験してみたい若い人にはおすすめだ。

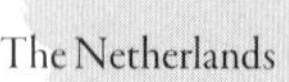

2020年からワーキングホリデー開始

ビザの種類と必要条件 就労ビザにも種類がある

日本国籍を持っている人で、オランダに90日以上滞在する場合は、「滞在許可」が必要となる。渡航の際にはこれは求められず、個人申請の場合は、オランダに着いてからオランダ移民局（IND）で滞在許可を申請することになる。すべてのビザに求められる条件は、有効な旅券を持っていることと、犯罪歴や不法滞在歴がないこと。2021年1月末現在の就労・就学ビザの種類と必要書類・条件は以下の通り。

◆学生ビザ

条件：職業大学、大学で、フルタイム就学の場合。受け入れ校はスポンサーとして国から承認された学校であること。滞在中の十分な資金があること。学年ごとに必要な単位の50％以上を取得すること。入学校の授業を受けるための十分な語学力があること（学校によって英語かオランダ語の検定）。オランダでカバーされる医療保険に入っている。

必要書類：大学受け入れ証明書・英語翻訳されたアポスティーユ（注1）付きの戸籍謄本（3ヵ月以内発行）・残高証明書・申請料金192ユーロ

◆個人事業主

条件：独立した事業主としてビジネスプランや十分な収入見込みがあること。事業内容によっては、必要なライセンスを保有していること。最低資本金があること。滞在可能日数は最大2年間で、更新可能。

必要書類：英語に翻訳されたアポスティーユ付きの戸籍謄本・事業主として、オランダの商工会議所に登録・最低資本金4500ユーロ（約

58万円）の残高証明・バランスシート・申請料金１４１６ユーロ

◆スタートアップ

条件：イノベーティブなサービスや製品を提供するスタートアップ企業で、信頼できる経験豊富なファシリテーターとのコラボレーションがあり、アイデアを事業に昇華するための段階的な計画があること。オランダの商工会議所に登録。オランダで生活するための十分な資金がある。

必要書類：事業計画書・ファシリテーターとの契約書・銀行の残高証明書・第三者から資金提供を受ける場合はその契約証明・収入証明・投資家のパスポートのコピー・銀行取引明細書・申請料金３４２ユーロ

◆有給労働者

条件：ＩＮＤにスポンサーとして認定された企業・組織と雇用契約を結んでいること。滞在許可の申請は雇用主が行う。有給労働者には以下が含まれる：知的労働者・研究者・企業内転勤者・国際貿易従事者・外国企業による商品供給事業者・外国企業への商品供給事業者・芸術・文化従事者・マスコミ特派員

このうち国際貿易、外国企業による商品供給、外国企業への商品供給、芸術・文化の従事者とマスコミ特派員の滞在許可は、個人でも申請可能。ただし、雇用主に特定の条件が規定されているほか、十分な収入があることが条件（注2）。

◆ワーキングホリデー

２０２０年4月から導入。日蘭の文化交流を目的に最大1年間の滞在を許可し、休暇の付随的な活動として旅行資金を補うための就労を認めるというもの。毎年最高２００人が利用可能。

条件：申請時の年齢が18～30歳で未成年の子どもがいない。以前に交換プログラム（注3）で滞在許可を得たことがない。帰りの航空券を持っているか、購入可能な資金があることを証明できる。居住期間内の生活資金が十分にある。オランダでカバーされる医療保険に入っている。

必要書類：在日オランダ大使館に名前、生年月日、パスポート番号を記したメールを送付し、事前登録する。オランダ大使館から返信された登録証明を印刷し、90日以内にオランダのＩＮＤで滞在許可を申請。申請書・出生証明書（英文翻訳し、公的認証されたもの）・事前登録ナンバー・無犯罪証明書・パスポートのコピー・帰りの航空券または銀行の残高証明。申請料金58ユーロ。

注１：日本の官公署、自治体等が発行する公文書に対する外務省の証明。
注２：INDサイト参照　https://ind.nl　注３：ワーホリのほか、オペア留学と文化交換プログラムを含む。

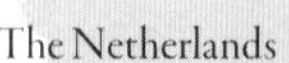

就労ビザ取得までの道のり

窓口サービスはすべて予約制、予想外に時間がかかることも

日本人がオランダで就労する際、現地企業の社員などの場合は会社側がビザを用意してくれるため、個人で就労ビザを申請するのは個人事業主のケースが多い。

複数の個人事業主の話を総合すると、移住の準備として、まずは日本にいる間にインターネットで情報収集し、戸籍謄本などの必要書類を取得する。同時期に不動産業者を通じた住居探しをはじめる人もいる。

オランダではまず、日本大使館とオランダ外務省でビザ申請に必要な書類を準備し、オランダ移民局（IND）でこれらの書類を提出（このときに賃貸契約も必要となる）。パスポートにシールを貼ってもらう形で「テンポラリービザ」を獲得する。

その後、市役所で住民登録をし、「BSNナンバー」をもらう。この番号は、銀行口座の開設や、携帯電話・保険の契約など、生活のあらゆる手続きで必要となるもので、商工会議所での事業登録もこれをもらったあとに行うことになる。事業登録後は再びINDに戻り、最終的な滞在許可を申請する。

オランダでビザの手続きをはじめてから最終的にビザを得られるまでにかかる期間は早い人で1ヵ月弱。書類不備などで何度かINDなどとアポを取り直したりすると、3～4ヵ月はかかるようだ。オランダでは市役所から銀行まで、すべて予約制となっている点には注意が必要だ。

なお、個人のビザ取得に関しては、移民弁護士による有料のサービスもあり、これを利用すれば、ビザ取得がスピーディに進むことが多い。

Interview

留学ビザ取得体験談
アパート探しは早めの準備を

オランダの大学は英語で受講できるコースが多いほか、日常生活も英語でほとんどが事足りるため、英語ができればオランダ留学は魅力的だ。デザイン・アカデミー・アイントホーフェン（DAE）に留学した簑島（みのしま）さとみさんも、ほかのヨーロッパ諸国の美術大学と比較した上で、英語の通じるオランダを選択した。

情報収集はおもにインターネットから。さらに簑島さんの場合は、周りのオランダ留学経験者から話を聞いたり、現地の大学を見学したりした。

DAE に入学願書などの必要書類を送ったのが 12 月頃。書類選考に通った後は、2月にオランダで二次選考のグループプレゼンテーションがあり、そのために数日だけオランダに滞在。5月頃には合格通知を受け取り、8月中旬に渡蘭した。

DAEの卒業証書にサインをする簑島さん

ドミトリーに滞在して家探し

オランダではまず、日本大使館とオランダ外務省で必要書類を準備し、移民局（IND）でビザを取得した。その間、アイントホーフェンの旅行者用ドミトリーに泊まりながら、同時に住居探しに着手した。留学ビザの場合、ビザ申請の段階では住居は問われないが、その後の住民登録で定住所が必要となる。

入国してから学生ビザ取得までにかかった期間は2週間。部屋探しが難航した以外は、すべてスムーズだったという。留学が決まったら、日本にいるときからネット上でアパート探しをはじめることをおすすめする。

The Netherlands

オランダの物価

住居賃貸費はうなぎ上り、それ以外は切り詰め可能

オランダの物価は概して日本のスタンダードとあまり変わらないが、いちばんネックとなるのは家賃だろう。それ以外は、切り詰めれば安く暮らせる。

都市部の家賃はうなぎ上り

オランダ最大の不動産業界団体NVMによると、民間セクターの賃貸物件の平均月間賃料は、2020年第2四半期で1平米あたり13・02ユーロ（約1700円）だった。つまり100平米だと17万円程度となっている。

近年は移民の増加もあって、住宅は不足しており、都市部を中心に賃料はうなぎ上り。中でも首都アムステルダムの平均賃料は、1平米あたり21ユーロ超と、群を抜いて高い。ロッテルダムやユトレヒト、デン・ハーグ、アイントホーフェンなどの都市も家賃は高く、1平米あたり14ユーロは見ておいたほうがいい。

水道光熱費は家のタイプや広さや世帯人数にもよるが、100平米ぐらいまでの住居だと、1ヵ月で約100ユーロ前後となる。

また、通信費は固定電話、テレビ、インターネットがパッケージになったもので1ヵ月60ユーロ程度。携帯電話も1年間有効のSIMで、1ヵ月4GBのインターネット使用と無制限通話・SMSがセットになって13ユーロ程度と、日本と比べてかなり安い。

食費を抑えるのは自炊がポイント

スーパーマーケットなどの食品や雑貨も、概して日本より安い。たとえば玉ねぎが1kgで約1ユーロ（129円）、にんじん1kgが75セント、ミニトマト（250gパック）が69セント、バナナが1kg1・59ユーロ。肉ならば、牛ミンチ500gが3・69ユーロ、鶏むね肉400gが5・45ユーロなど。実感としては20ユーロも出せば、袋いっぱいに食材が買える。

家計に関する独立情報組織 Nibud によれば、1ヵ月の食費はひとり暮らしで約190ユーロ、2人で380ユーロ、4人家族で390～560ユーロと、日本よりもかなり少ない。

ただし外食は高く、夕食など温かい食事になると飲み物を含めてひとり最低20ユーロ程度はかかる。このため、食費を切り詰めるには自炊が最良だ。

交通費と保険料はかさむ

一方、交通費は日本と比べると高めといえる。

たとえば電車でユトレヒト～アムステルダム間の30分程度の距離で、通常の片道料金は8・2ユーロ。67ユーロを払って年間パスを購入すると、ラッシュアワー以外の電車賃が4割引になるので、電車を多く利用する人にはおすすめだ。トラムやバスの利用料金は1時間有効のチケットが3・2ユーロ。鉄道の年間パスを持っている人は、これをバス・トラムにも利用できる。

環境問題に敏感なオランダでは、車の維持費は結構高い。税金、保険、ガソリン代だけで、1ヵ月に200ユーロ程度はかかるし、年に一度の車検や修理・維持費もかさむ。さらに、環境対策から多くの都市では車の進入に制限があるほか、駐車場代が大幅に値上げされているので、ときどき車で郊外に出かける程度の使用頻度であれば、レンタカーやカーシェアリングの使用をおすすめする。

また、オランダは平らな土地が多く、全国的に自転車道が整備されている。オランダに住んだら極力自転車ライフを楽しみたい。

このほか、オランダではすべての住民（18歳以上）に民間の医療保険加入が義務付けられているため、毎月の保険料がかさむ。保険によって価格はさまざまだが、平均的に大人ひとり1ヵ月100ユーロ程度。このため、すべてを含めた1ヵ月の生活費は、ひとり暮らしでも最低限1200ユーロぐらいは見ておいたほうがいいだろう。

The Netherlands

治安で注意すべきことは？

オランダの治安は比較的良好、自転車盗難には注意！

オランダはほかのヨーロッパ諸国と比べると、総じて治安がいい。英『エコノミスト』誌の調査部門が発表している「世界の安全な都市ランキング」で、アムステルダムは2019年に東京、シンガポール、大阪に次ぐ4位にランクインした。ヨーロッパ都市の中で10位以内に入っているのは、アムステルダムとデンマークのコペンハーゲン（8位）のみ。実際に、若い女性のひとり暮らしもよく見られるし、筆者も普通に暮らしていて身の危険を感じるような事態はほとんどない。

オランダといえば、日本人にはドラッグのイメージがあるかもしれない。実際、街中には普通の商店の間にソフトドラッグを扱う「コーヒーショップ」が見られるが、こうした店も特別に怖い場所というわけではなく、顧客はし好品としてソフトドラッグをのんびり楽しんでいるといった風情だ。

オランダで気を付けるべきなのは、スリや置き引きなどの軽犯罪。特にアムステルダム駅などの大きな駅や、各都市で開かれている屋外マーケットなどではスリが多発しているので注意したい。

都市別治安ランキング

オランダ国内の状況を都市別で見ると、アムステルダム、アイントホーフェン、ロッテルダムといった大きな都市が、治安の悪い都市ランキングで毎年上位を占めている。

スリや窃盗といった軽犯罪が多いが、強盗やガレージからの車の窃盗、また車上荒らしなども警察に届けられている。また、ドイツやベルギーの国境に近いマーストリヒトは、国境をまたいだ違法ドラッグ取引などが盛んで、同市も治安の悪い都市ランキングで毎年5位までに入っている。

各都市の中でも治安のいい地区と悪い地区があるため、住居を探す際には、地元の状況を把握している不動産業者や、すでにそこに住んでいる日本人などから情報を集めたい。たとえば、アムステルダムでは南東部のBijlmermeer、ロッテルダムは南地区のVreewijk、ユトレヒトは南部Kanaleneilandなどが治安のあまりよくない地区として知られている。

自転車盗難は日常茶飯事

オランダに暮らすにあたって、いちばん気を付けなければならないのは、自転車の盗難だ。オランダでは毎年最低50万台の自転車が盗難に遭っているという。中古の安い自転車に乗っていても、1年間に3回も自転車を盗まれた人も。盗難自転車は中古市場に出回っており、中古市場で自分の盗まれた自転車に再会するのもそう珍しいことではない。

いちばんの自転車盗難対策は、頑丈な鍵。何キロもするような立派な鉄の鎖で、運河の柵や街灯などにがっしりとくくりつけられた自転車を街のいたるところで見つける。中には自転車そのものよりも、鍵のほうが値段が高いというケースも見られるほどだ。また、鍵をかけていても車輪だけ外してボディだけ盗まれてしまうケースも多いので、チェーンはボディにくくりつけるように注意しよう。

このほかの盗難対策は、警察への自転車登録だ。最寄りの警察署で自転車のブランド、色、タイプ、モデル、フレームナンバー、鍵ナンバーなどを記入するだけで登録可能。こうした情報は購入した店でもらう書類に記載されている（注1）。

自転車保険への加入も有効だ。たとえば、ANWB（オランダ自動車連盟）の自転車保険は、月額の保険料が12ユーロ前後から（約1500円）。自転車に追跡機を搭載し、盗難後のルートを追跡できるほか、もしそれでも48時間以内に自転車が見つからなかった場合は、購入代金が戻ってくる仕組みになっている。備えあれば憂いなし。オランダ生活を快適に過ごすためには安い投資なのかもしれない。

注１：書類がない場合、フレームナンバーは自転車のボトムブラケット（自転車のフレームの中心付近にある）辺りに記載されている。

オランダで日本人が就ける職業

現地社員も個人事業主も日本人向けの営業・サービスが中心

オランダで日本人が職に就く場合、国際的に通じる特殊技術を持っている以外は、やはり日本語ができたり、日本の商習慣を熟知していたり、といったスキルが強みとなる。このため、現地社員になる場合は日系企業で採用される可能性がいちばん高いほか、個人事業主の場合も、日本人向けの商品・サービス提供や、日本市場に関する調査・営業などが中心となっている。

職種によっては日本語のほかに、オランダ語や英語のスキルや、エクセル、ワードなどのオフィス系ソフトウェアの習得が求められる。

滞在許可や福利厚生にも注目

在蘭日本商工会議所のウェブサイトや日本人のためのオンラインコミュニティ「オランダ掲示板」のサイトで日本人向けの仕事を検索してみると、よく見られるのが日系企業の経理・人事・営業事務・ウェブサイトの制作と運営など、事務系の仕事。これまでの職務経験やスキルなどによって給与はまちまちだが、若手の平均的な月給は、税込みで2500ユーロほど。マネジャークラスになると、平均4000ユーロ以上となっている。

日系を含む現地企業ではまず、すでに就労ビザを持っていることが条件となるケースが多いが、中には就労ビザを申請してくれるところも。また、給与以外に交通費や住宅手当て、書籍購入代の補助、帰国時の航空券代の一部補助、社用車リース、年1回の健康診断などが提供されるところもあり、こうした福利厚生が生活する上で経済的に大きな違いをもたらすことにも留意したい。

　また、休暇についてはオランダの祭日や規制に準じており、1年間の平均的な有給休暇は25日。ただ、職場によっては「日本的な働き方」を求められるところもあり、有給休暇が取りにくいケースもある。

　事務系以外では、製造、営業、カスタマーサポート、運転手、ショップマネジャーなどがあるが、これらの給与も平均的に1800〜2500ユーロ程度となっている。


個人事業主はリモートワーク系か日本人向けサービス業が中心

　オランダにおける日本人の就業スタイルとして、現地企業の社員以外に多いのが個人事業主。どのような職業が多いのだろうか。

　まずは「リモートワーク系」。基本的にどこに住んでいてもウェブ上で完結できる仕事で、日本の会社で働いていた人がフリーランスとなって仕事を受注しているケースが多い。こうした職業にはたとえば、システムエンジニア、編集者・ライター、ウェブコンテンツ企画、ウェブデザイナーなどが含まれる。

　日本食レストランの経営・スタッフも多い。最近では寿司だけでなく、オランダでもラーメンの人気が高まっており、アムステルダムなどの都市部でラーメン屋を開く日本人が増えている。

　日本人向けのサービス業も盛況だ。オランダに移住したい人のために滞在許可取得や住宅探し、学校選びなどをサポートするサービス業のほか、美容師、ネイリスト、マッサージ師、日本人学校の教師、楽器の教師、カメラマン、翻訳・通訳など、「手に職系」も多い。パティシエやフラワーアーティストとして、ワークショップを提供している人もいる。

　このほかには、ツアーガイドやビジネス・教育関連の視察をサポートするサービスや、オランダの商品を日本企業向けに卸すバイヤーなど、日蘭間を仲介する仕事もある。

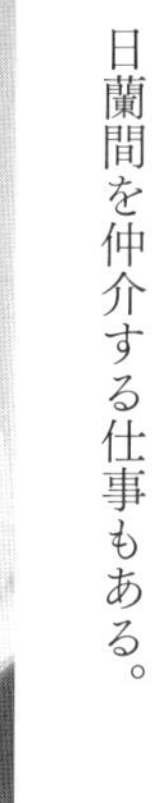

個人事業主としてスイーツを販売する加藤麻里さん

Interview

現地就職からフリーランスに転向「行動を起こすことで次の道が見えてくる」

フリーランスの翻訳者・ライターで、コーヒーカルチャー誌『Standart Japan』（注1）の制作統括を務める行武温（ゆくたけあつし）さんは、オランダに住んで7年。まずは日系企業の現地法人への就職という形でオランダに移住し、その後、個人事業主ビザに書き換えてフリーランスに転向した。

現地就職だと移住がスムーズ

行武さんは学生時代にイギリスに留学した経験があり、大学卒業後は語学力を活かして日本の翻訳会社で働いていたが、1年半ぐらい勤務した後、転職して海外に渡ることを考えた。情報収集は大手の就職サイトを利用。幸い、翻訳・印刷などを手がける日本企業のアムステルダム事務所で営業人材の募集があったため、これまでの経験が活かせると思い、応募した。

オランダ人のマネジャーとの「スカイプ」を通じた面接や、東京のオフィスでの日本人幹部との面接を経て、めでたくオランダの現地法人への就職が決まった。そして、日本で1ヵ月のトレーニングを経た後、いよいよ渡蘭。はじめに履歴書を送ってからオランダに渡るまでの期間は3ヵ月ほどだった。

会社が用意したビザは「知的労働者」用で、行武さんは戸籍謄本などの必要書類を会社の人事部に提出しただけ。あとは、会社側で手続きをしてくれたという。また、オランダに着いてから1ヵ月半の間は、会社が借り上げたアパートに住みながらゆっくり住居探しができた。移住の入り口で会社の後ろ盾があると、何かとスムーズだ。

日系企業では日本風の働き方も

行武さんは「ワークライフバランス」を重視するオランダ人の働き方を目の当たりにし、「いい意味でカルチャーショックを受けた」。しかし、日系企業で働く中では往々にして「日本風の働き方」が求められることがあり、残業が当たり前だったり、休暇が取りにくかったり……といった場面もあった。「部署によってオランダ人と日本人の比率が違うので、オフィスでの滞在時間が違うということがありました」。

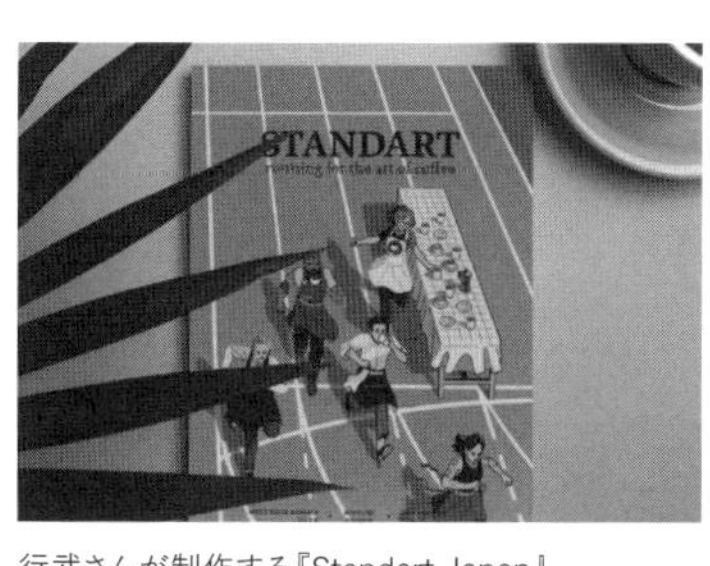

行武さんが制作する『Standart Japan』

新しい分野に挑戦してみたいという気持ちもあり、行武さんは最初の企業に就職してから2年半の後、日系の大手金融機関に転職する。オランダ企業への転職は必然的にオランダ人との競争になるため、「日本語ができる、日本人の商習慣を知っている、といったソフトスキルを評価してくれるところでないと難しい」というのが行武さんの実感だ。

転職してから1年ぐらいでビザの更新時期が来たが、それも会社側で手配してくれたという。

会社員からフリーランスに転向

日系の金融機関で1年半ほど勤務した後、行武さんはフリーランスに転向した。いろいろな規模の会社で働いてみたが、「ひとりでなにかをする」経験をしてみたかったからだ。テクノロジー系サイトの翻訳者に応募してみたところ採用され、独立して生活していく目途がついたため、今度は個人事業主ビザの取得に着手。このときは外国人の移住をサポートする弁護士に申請手続きを依頼した。

日本人とアメリカ人の起業に関しては比較的条件が緩く、行武さんの場合は、事業計画や貸借対照表の提出は求められず、銀行のビジネス用口座に４５００ユーロを入金し、残高証明とオランダ商工会議所での登録証明、申請書類を出すだけだった。すでにオランダで就労ビザを持っていたことも、個人事業主ビザへの移行をスムーズにしたのかもしれない。

「ビザが出るタイミングで、会社を辞める意向を伝えました」。

起業してから2年後にはビザの更新もあったが、それも問題なく通過した。海外への転職を考えている人に行武さんは、「まずは行動すること」をすすめている。

注１：『Standart Japan』https://www.standartmag.jp/

Interview

個人事業主ビザ取得体験談
窓口でたらい回し、常に最新情報の把握を

オランダ南部アイントホーフェン市在住のIさんは、フリーランスのソフトウェア・エンジニアとして、家族4人でオランダに移住した。個人事業主ビザを取得するまでの体験を伺った。

――移住を決めたきっかけは？

2018年12月頃、子どもがもうすぐ小学校に上がるというタイミングでした。A市の小学校にするかB市にするか……という選択肢があった中で、「いっそのこと日本を出てみてもいいのでは？」という考えに至り、オランダに駐在した経験のある元同僚のすすめもあって、アイントホーフェン市を選びました。当時は会社員でしたが、在宅でもできる仕事なので、フリーランスに転向しました。

――ビザの手続きなどはご自身ですべてやりましたか？

はい。基本的にネットで情報を集めて、就労ビザや現地での事業登録など自分たちでやりました。ただ、住居契約だけは現地の日本人エージェントの方にお願いしました。オランダの住宅市場は競争が激しくて、いい物件はあっという間に借り手が見つかるので、とにかく速さが勝負です。だから、時差もなくて素早く連絡できる現地の人にお願いしないと、なかなかきついと思います。私たちは事前に連絡して受け入れられた「イエナプラン（注1）」の小学校に近い場所をリクエストしていて、エージェントとメールで毎日のように連絡を取り合い、3軒内覧してもらった中から1軒を即答で決めました。家探しに要した時間は約1ヵ月です。

――手続きの順番として、まずは住宅探しということでしょうか？

アイントホーフェンの街並み

私たちはまず、子どもたちの学校を探してから、その周辺での家探しを始めました。家の賃貸契約はビザがなくても「居住見込み」ということでできるんですが、ちゃんとした登録住所がないとオランダで一時滞在証が申請できないので、まずは日本にいるときから住居探しをおすすめします。そして、同時にアポスティーユ付きの戸籍謄本や英文の残高証明書を用意します。

——事前にオランダまで下見に行きましたか？

　下見はしませんでした。ネットの情報とエージェント経由の賃貸契約だけで、家族４人、オランダに乗り込みました。

——オランダに来てからの手続きはいかがでしたか？

　移民局（ＩＮＤ）と市役所を何度も往復させられて、結構大変でした。窓口の人たちが日本人の手続きに必要な書類などをきちんと把握していなくて、窓口によっていうことが違う……ということがよくあって（笑）。まずＩＮＤに行ったら、「先に市役所でＢＳＮナンバーをもらえ」といわれて、市役所に行ったらもう一度ＩＮＤに帰されたり……。ＩＮＤの窓口は1件あたりのアポの時間が15分と決められているらしく、家族４人分の手続きをお願いしたのに、３人分のところで時間切れになって、１人分は別の日にアポを取り直さなければならなかったりもしました。日本では考えられないことが多々ありましたが、なんとか住民登録を済ませました。

——その後、商工会議所での事業登録はいかがでしたか？

　ここでも窓口によって状況が変わるというのを経験しました。私は日本で勤務していた会社から仕事を請け負っているので、事業内容を「ソフトウェア開発」として、取引先は1社しか挙げていなかったのですが、1回目のアポでは「取引先が1社だとリスクが大きい」といわれて却下されてしまったので、2回目には複数の事業内容でビジネスプランを持っていったら、「前回の担当者がチェック済みだから大丈夫」ということで、内容確認もなく受理してもらえました。だから誰に当たるかによって状況が違ってくるのですが、基本的には自分たちで常に最新の情報を把握しておくということが大切だと思います。

注１：ドイツ・イエナ大学のペーター・ペーターゼン教授が創始した教育メソッド。異年齢の子どもたちでクラス編成をしたり、会話・遊び・仕事・催しの4つの基本活動を循環的に行ったりする。

The Netherlands

オランダの家探し

貸し手市場で住宅は争奪戦！早めの対応がカギ

オランダに移住する際の最大のネックは「住居探し」といっても過言ではない。手頃な物件は即座に入居者が決まってしまうため、スピーディな行動と決断が求められる。

家探しは想像以上に大変

「家探しの難航は想定外でした」と語るのは、2015年にオランダに移住した岡徳之さん・千尋さんご夫妻。オランダの住宅市場についてあまり調べずに「なんとかなるだろう」という気持ちで来たら、なかなか見つからず「暗黒の2週間を過ごした」そうだ。

オランダでは、住居が決まっていることが就労ビザ取得の前提。そのため、オランダに旅行者として入国したあとは、まずはホテルなどに滞在しながら住居探しをすることになる。岡さんご夫妻の場合、はじめはアムステルダムのサービスアパートに住みながら、不動産サイトで賃貸物件を探した。しかし、人気の物件は抽選になることも多く、最後は競争率が比較的ましだったデン・ハーグに場所を移すことになった。

一方、アイントホーフェン市在住のIさんご夫妻は、日本にいるときから家探しに着手した。まずは不動産サイトで物件を探し、その内見はオランダの日本人不動産エージェントに委託。3軒ぐらい見てもらい、そのうちの1軒を即決した。

海外から賃貸契約をする場合は、家賃をある程度まとめて事前に納入するなど、さまざまな条件が付くが、

オランダの典型的な住宅

Iさんはとにかく住宅確保を優先した。このため、オランダに着いた初日はホテルに滞在したが、2日目からは新居で生活をスタートすることができたという。

有料サイトだと競争率が低下

オランダの無料不動産サイトには、「Funda」「Pararius」などがある。住みたいエリアや家賃、広さ、また「家具付き」「家具なし」などで検索できるシステムで、気に入った物件があれば不動産会社と連絡を取る。その際はメールよりも直接電話したほうがつながりやすい。

ただ、無料サイトで紹介されている物件は非常に競争率が高く、人気の物件は何十組もの人たちとの競争となることもある。一方、有料サイトになると、そこだけで紹介されている物件があるため、競争率が下がり、物件が見つかる可能性は向上する。有料サイトには「Kamernet」や「Direct Wonen」などがある。

ロッテルダム在住のAMI HUISさんは内見で物件が気に入ったときは、収入証明のほか、自分たちが清潔で隣人トラブルを起こさないことなどを添付・記載したメールを不動産会社に素早く送るなどの工夫をしたという。競争の中では、好印象を持たれる工夫も奏功するようだ。

ニセの業者に注意

有料サイト以外に便利なのが「フェイスブック」のグループ。たとえば留学する人の場合、留学先の大学で「ハウジンググループ」を作っているケースが多く、そこに登録すると、学生間のアパート情報が入ってくる。同室の学生が出ていくため、ルームメイトを探しているケースなど、不動産業者のサイトには載っていない情報が満載なので、留学生にはおすすめしたい。

ただし、中には悪徳業者もおり、建物の外観の写真だけ送ってきて「内見前に前金が必要」などと求めるケースもあり、注意が必要。正規の業者なら前金を払う必要はない。

外国から来て住居が決まらないと、途端に不安と焦りが生じるもの。ある程度時間がかかることを見越して快適な宿を確保したり、お金が少々かかっても有料サイトやプロの業者を利用したりすれば、ストレスは軽減されるかもしれない。スピーディなビザ取得を可能にするためにも、住居については早めに準備をはじめたい。

岡さんご夫婦：Podcast「海外移住家族の夫婦会議」を配信。https://anchor.fm/world-fuufu-kaigi/
AMI HUISさん：ブログでオランダ移住情報を提供。https://note.com/katsuoweb_ami

The Netherlands

人気上昇中の教育移住とは「子どもの幸福度世界一」で教育に定評 長期滞在では慎重な判断を

ユニセフ「子どもの幸福度ランキング」(注1)で世界一に輝いたオランダ。子どもによい環境を求めて、「教育移住」する人も増えている。

オランダ人は概して子どもにやさしく、ベビーカーで電車やバスに乗るときなど、誰かがサッと手を差し伸べてくれるし、公園やカフェでも子どもがいることでオランダ人との交流が生まれることが多く、親にとって楽な環境ともいえる。

子どものレベルに合う教育を重視

オランダの幼稚園・小学校に入園・入学する場合、移民の子どもたちは1年間、オランダ語の語学学校に通うことが求められる。

オランダでは子どもが4歳の誕生日を迎えると小学校に入学し、基本的に8年間、小学校生活を送る。学区制がなく、自分に合った学校を選べるシステムになっている。宿題はほぼ皆無で休暇が多く、子どもたちはのびのびと小学校生活を楽しんでいる。

小学校の最終学年になると、中学以降の進路が担任の先生との相談で決められ、ひとまず大学進学コースか、職業コースかに分けられる。

子どもの能力や興味に沿った教育が重視されており、日本の学歴重視とは一線を画する。教育システムがかなり異なることには留意したい。

また、現地校に通う場合、学校からの連絡がオランダ語のみのところが多く、親もある程度オランダ語の習得を求められるほか、子どもの日本語教育については、各家庭でかなり努力が強いられる点も考慮したい。

注1：2020年調査

Italy

[第6章] イタリア

歴史と多彩な文化が魅力

文・田島麻美

Italy

ユーロ圏第3位の経済大国

古い歴史と多彩な文化が交差する世界に類を見ないユニークな国

イタリア共和国
Republic of Italy

■人口……6,046万人
■GDP……2兆15億ドル
■ひとりあたりGDP……33,159ドル
■実質GDP成長率……0.8%
■日系企業(拠点)数
……425社(前年比+41.6%)
■在住日本人数
……14,937人(前年比+2.3%)

豊かな自然に囲まれた美しい国土

ヨーロッパの南に位置するイタリアの国土面積は約30万㎢(日本の約5分の4)で、人口は日本の約半分。周囲を海に囲まれ、国土の中央に高い山脈が南北に背骨のように伸びた地形、四季折々の自然美、地方ごとに特色のある文化や料理が楽しめるなど、日本と共通する部分も多い。

もともとは1年を通じてしのぎやすい地中海性気候だったが、近年の温暖化の影響で夏は非常に暑くなり、湿度も年々上昇傾向にある。北はスイス、オーストリア、フランスと国境を接し、モンブランやマッターホルンといったヨーロッパ・アルプスの名峰がそびえ、南は地中海、アドリア海を挟んでギリシャやアフリカに近く、中央には緑豊かな丘陵地帯が広がっている。国のどこへ行っても大自然の絶景が楽しめるのもイタリアの大きな魅力である。

おもな産業は機械、自動車、鉄鋼、アパレルなどの製造業、オリーヴ・オイルやワインに代表される農業、手工業、観光業など。イタリアはユーロ圏で第3位、世界第8位の経済大国でもある。また、世界に12億人の信徒を有するカトリック・キリス

ト教の総本山ヴァチカン市国もイタリア国内に位置しており、宗教・文化の世界的な中心地ともなっている。

都市ごとに異なる多彩な文化

イタリア共和国は古い歴史を持つたくさんの小さな都市国家が集まってできた国である。イタリアがひとつの国として統一されたのは１８６１年のことで、それ以前はローマ、フィレンツェ、ミラノ、ヴェネツィア、ナポリなどの街は別々の独立した都市国家だった。現在のイタリア共和国が成立したのも第二次大戦後。イタリアという国を理解するには、最初にこうした国の成り立ちと歴史を知っておく必要がある。

また、古代ローマ帝国をはじめ世界の歴史を作ってきた多彩な文化の発祥地であるイタリアは、世界遺産登録数が中国と並んで世界第1位、全土に55の世界遺産が点在している。古くはエトルリア時代、ギリシャ時代、ローマ時代から現在の世界最先端をいくファッション、芸術まで、さまざまな時代の文化・芸術が一堂に集まる世界でも稀有な国である。

個人主義が徹底しているイタリア人

イタリア人を形容するときによく使われる「カンパニリズモ」という言葉は、「自分の生まれ故郷の教会の鐘楼が世界でいちばん美しい」と自慢することに由来する。イタリア人が自己紹介で、「俺はローマ人」「私はナポリ人」というい方をするのも、自分の故郷に対する誇りの表れである。かつての都市国家の名残は、ひとつの国に統一されたいまもイタリア人の心の中に脈々と息づいている。

一方で、イタリアでは徹底した個人主義を貫く人が多い。なによりもまず「自分」があり、それから「家族」、友だちはその次に来る。本質的には義理人情に厚く、世話好きなイタリア人だが、自分の意にそぐわないことは頑として拒否する。日本人が苦手な自己主張だが、イタリアではそれなしには何事も話が進まないことは覚えておく必要がある。

世界遺産がひしめき、街ごとに異なる文化も体験できる

Italy

EU屈指の「ビザが取りにくい国」

長期滞在にはビザとは別にイタリア滞在許可証が必要

ビザ申請は大使館で完全予約制

日本人のイタリア滞在に際し、90日間以内の滞在であれば基本的にビザは不要。滞在が90日を超える場合にはビザが必要となるが、このビザの種類が非常に詳細に分かれている。申請時には自分の目的に合ったビザの種類をよく確認する必要がある。

ビザはイタリア大使館（注1）で取得する。現在、イタリア大使館でのビザ申請はHPを通じたオンラインシステムによる完全予約制となっている。ビザ申請は出発の90日前から受付。審査には時間がかかるため、時間に余裕を持って申請したほうがいい。ビザの受け取りは予約不要。

いちばん取りやすいのは就学ビザ

イタリアのビザの種類は大きく分けて就学ビザ、就労ビザ、家族・配偶者ビザ、年金所得者ビザの4種類があり、それぞれ必要書類や条件が細かく分かれているので要注意。イタリアはEU屈指の「ビザが取りにくい国」だが、ビザの中では比較的取りやすいといわれるのが就学ビザ。就学ビザは5種類あるがこれも受入先の学校によって必要書類や出願方法が異なる。ビザ申請用紙、必要書類チェックリストなど各種フォームは大使館HPからダウンロード可能。

入国後は滞在許可証が必要

イタリアに長期滞在するにはビザとは別の「滞在許可証」が必要になる。取得するには入国後8日以内に郵便局で専用キットをもらい、書類を揃えて再び郵便窓口から申請する。

注1：イタリア大使館　https://ambtokyo.esteri.it/ambasciata_tokyo/ja/

「自分の身は自分で守る」のが鉄則！用心してスリに狙われない人になる

観光スポットにはスリも集まる

観光名所はスリだらけ

日本から来る旅行者に、よく「ローマやナポリは治安が悪いんですよね？」と聞かれるが、これは大きな間違いである。イタリアでは、街によって安全かどうかは判断できない。それより知っておいたほうがいいのは、「観光客の集まるところにはスリも集まる」ということ。ヴェネツィア、フィレンツェ、ミラノ、ローマ、ナポリなど、見どころ満載のイタリアでは、どこでも「観光名所であれば観光客を狙ったスリがいる」と思ったほうがいい。ではどうすればいいか？　スリはプロなので、何万人もいる観光客の中からいちばん仕事がしやすい人を瞬時に見分けることができる。ということは要するに「仕事がしにくい＝面倒くさそうな人」になればいいのである。リュックには鍵をつけ、財布は現金とカードを分けて持ち、できれば腹巻のようなポーチに入れて服の下にしまう。両手を塞がない。高価な時計や宝石を身につけないなど、用心しているることをアピールすればもれなくスリの対象外となることができる。

夜のひとり歩き、駅周辺は要注意

イタリアの夜の街は本当に美しい。おいしい料理とワインで極楽気分になり、美しい夜景を見ながら街を歩くのはイタリアの醍醐味でもあるが、どの街でも夜になると危険な場所が出現する。暗い裏通りや大きな駅付近にはひったくりやドラッグの売買をする人などが突然現れたりするので近づかないよう心がけたい。

田舎か都会かで大きく変わる

大都市の家賃は東京以上！でも食品や生活必需品は安い

イタリア暮らしに必要な生活費はどこに住むかで大きく変わってくる。1ヵ月の生活費の中でいちばん大きな割合を占めるのが家賃だが、これは大都市の中心街と地方都市では大きな隔たりがある（P．165）。

物価も同様で、都市部の観光地では観光客用の価格設定がされているため、同じチェーン店のスーパーの同じ商品でも住宅街の店と比べて価格が高い。地方都市なら家賃を含め、生活費は大都市の半分程度で済むがライフスタイルは大きく変わってくる。自分に合った居住先を選ぼう。

電気代は高いが電話代は安い

イタリアでは独身者や学生など、若い人たちはルームシェアが一般的。家賃だけでなく、光熱費や水道代、アパートの共益費・管理費なども折半できるというメリットがある。一般的にルームシェアした場合の1ヵ月の生活費（家賃除く）はおよそ300～400ユーロといわれている。

電力を輸入しているイタリアでは電気代がとても高い。日常生活でこまめに電気を消すのは当たり前。温暖化で夏の暑さが厳しくなっている現在でも電気代が怖くてクーラーをつけられないという家庭も多い。シェアの場合、1ヵ月あたりの電気・ガス・水道代はひとりあたり50ユーロ前後。冷房などを使うと一気に倍近くに跳ね上がる。生活費を節約するにはクーラーや電子レンジなど電化製品の使用を控える工夫が必要。

電気とは反対にとても安いのが携帯電話代。Vodafone、TIM、WindTre が三大携帯電話会社でそれぞれWi－Fi、通話、SMS込みのお得なパッケージプランがある。プリペイドSIMカードを購入し、毎月定額をチャージするので月末に電話代を心配することもない。月12ユーロ前後でインターネット20GB、通話無制限などさまざまなプランが用意されている。Wi－Fiも接続機器付き・月25～30ユーロで使い放題というようなプランもある。じっくり比較してお得なプランを選びたい。

肉や果物、野菜などはすべて量り売りなので、ひとり分でもむだなく買えてうれしい

食費と交際費

食品はとても安く、野菜や肉、チーズ、果物など新鮮でおいしいものがスーパーや市場で格安で手に入る。たとえばイタリアの主食であるパスタは一袋1kgが1ユーロ以下で買える。インスタントのパスタソースなども安くておいしい。自炊のみであれば1ヵ月の食費を100ユーロ程度に抑えることも可能だ。一方、レストランは安い店でもワインと食事を楽しめば最低25ユーロはかかる。ピッツェリアはレストランに比べると値段も半分以下で済むので、若い人たちは好んでピッツェリアに行く。バールには夕食前の時間帯にアペリティーヴォのメニューがある。これはドリンクを頼むと軽食が付くサービスで、10ユーロ前後で済む。夕食代わりに利用する人も多い。

交通費

通常どの街も住民用に公共交通機関の定期券を用意している。たとえばローマ市の「ATAC」の1ヵ月定期券は35ユーロでメトロ、バス、トラム、市内の鉄道が1ヵ月間乗り放題。市内ならこれ1枚でどこへでもアクセスできる。各街の定期券を使えば格安で便利な移動が可能に。

語学・芸術から料理まで

多彩なコースが揃うイタリア留学 生活体験とキャリアアップで一挙両得

イタリアに滞在して学べるのは語学だけでなく、音楽や美術など芸術、歴史、建築、料理、陶器や革製品といった手工芸などさまざまだ。現在、イタリア大使館で発給している就学ビザには5種類あり、次のいずれかに相当する教育機関の入学許可があれば長期滞在用のビザを取ることができる。「1＝大学とAFAM認定校。2＝大学院やマスターコース、語学学校、州の認可を受けた職業訓練校。3＝企業研修／インターンシップ。4＝交換留学。5＝政府や国際機関、イタリアの財団などのフェローシップ」。1に関しては在東京イタリア文化会館を通して出願、3はイタリア大使館の認可を受けたプロモーターを通して事前に許可を得てから出願、4は大学間での協定が必要となる。そのほかの出願については基本的に自分で直接イタリアの受入先とやり取りしてイタリア語の「入学許可証」などの証明書を用意する必要があるが、イタリア文化会館や日本にあるイタリア語学校ではさまざまなタイプの留学プログラムを用意しているので語学力に自信がない人はこうした機関に相談して受入先を探すのがいちばん確実だ。

音楽や芸術を目的に学ぶ

イタリアには国立の音楽院や美術院、陶器やモザイクなど伝統工芸の芸術院などがたくさんあり、世界中から集まった留学生が学んでいる。国立大学、音楽院、美術院で学ぶには在東京イタリア文化会館を通じて出願する。入学には日本での実績が必要なため、日本国内で専門科目とイタリア語を習得した人が対象となる。特別な奨学金などを得た場合を除き、留学中の滞在費はすべて自費。

語学プラス職業体験など、自分に合った留学プランをじっくり選ぼう

人気のインターンシップで職業体験

イタリアの法律では就学ビザでも月80時間以内のアルバイトが認められている(時給は4～6ユーロ程度)。しかし実際にはかなりのイタリア語力が必要になる上、働き先を自力で探すのはとても難しい。どうしてもイタリアで働いてみたいという人は、語学学校のインターンシップ・プログラムを利用するという方法がある。将来イタリア、あるいは日本で就職するためのキャリアアップにもつながるインターンシップは、語学力だけでなくイタリアという国を知る上でも有利なプログラムだ。

インターンシップでは実際の職場でイタリア人とともに働くことになるので、中級以上のイタリア語力が必要。そのため、イタリアの語学学校では長期間の語学留学の最後にインターンシップを組むことを推奨している。たとえば1年間のうち7～8ヵ月は語学授業に集中し、残りの期間をインターンシップに充てるというプランがある。学校で紹介可能な職種も多岐にわたり、ホテルや旅行会社、アグリツーリズモなどの観光業、彫刻や陶器製作などの伝統工芸品の工房、バッグや靴など革製品製造工房、レストランやバールなど飲食・サービス業、ワイナリーなどの農業等、希望する職場で仕事体験ができる。インターンシップの種類や提携先は地域や語学学校によって異なるので、職業体験を希望する人は留学先の学校を選ぶ際にこうした要素もじっくり検討したほうがいいだろう。

90日以内ならビザは不要

「暮らし体験」をしてみたいならビザ不要の短期留学が最適

観光旅行ではなく、「暮らし体験」をしてみたいという人におすすめなのが短期留学。90日以内ならばビザなしで滞在できる（ただし出国日から3ヵ月間有効なパスポートが必要）。いきなり長期滞在は不安という人や、とりあえず1回住んでみたいという人には短期留学が最適だ。

インターネットで「イタリア　○○留学」などのキーワードで検索すれば、日本に拠点を持つ各種専門学校の留学情報がたくさん出てくる。1週間のプチ滞在から最長3ヵ月まで、多種多様な短期留学コースを活用してイタリア暮らしを体験してみよう。

料理初心者からプロ養成コースまで

語学だけの短期留学ももちろんありだが、せっかくイタリアで暮らすからにはもっと好きなことを追求したいという人には、語学学校ではない専門学校の短期留学コースがある。料理、ワインのソムリエ、伝統工芸のモザイク、ヴェネツィアのガラス細工、靴やバッグなどの革製品の職人など、多様な選択肢がある。

中でも初心者から本格的なプロ養成まで幅広いコースがあるのがイタリア料理とワインのソムリエ。クッキングアカデミーなどイタリア各地のシェフ養成料理学校が主催する1週間から3ヵ月のコースでは、イタリア語の授業プラス通訳付きの料理実習、チーズやワインの工場見学など、語学と料理の両方を深めるプランが多数用意されている。ワイン好きなら修了後にイタリア政府公認のソムリエ称号を取得できるＡＩＳ公認ソムリエ養成プログラムとイタリア語学を組み合わせたコースもある。そのほか、料理関係ではオリーヴ・オイルのソムリエ、カフェを極めるバリスタ、菓子職人などのコースも人気だ。東京にオフィスを構えているイタリア料理学校もあるので、語学力に不安がある人でも気軽に留学相談できる。

イタリア各地に残る伝統的な料理や工芸を学べる短期留学コースも多数ある

アート、ジュエリー、伝統工芸留学

古くから手工業が盛んであったイタリアには、何世紀も続く伝統工芸の工房がたくさんある。革製品やガラス工芸品、モザイク、陶器など、芸術作品のようなイタリアの工芸品に魅了される人も多いだろう。世界にひとつの作品を自分の手で作ってみたい、という人には専門技術を学べる留学コースもある。一例を挙げると、ヴェネツィア・ムラーノ島のガラス専門学校で伝統の吹きガラスの技法を学ぶ、フィレンツェの職人学校でジュエリー制作を学ぶ、靴職人の工房で革靴製造を学ぶ、世界遺産にも登録されているラヴェンナの伝統モザイク工芸の工房に弟子入りする、など。いずれの場合も数日間の初心者向けのプチ体験から2〜3ヵ月のプロ養成集中コースまで、やる気と興味次第でアレンジが可能だ。まずは短期で試してみて、気に入ったら2回目は半年以上の長期プログラムで本格的なプロコースに申し込む、ということもできる。また、学校によってはコースを修了し、技術を習得した人にインターンシップとして働ける職場を紹介してくれるというケースもある。このほかにも絵画修復や音楽、また日本語サポートが充実したシニアを対象とした短期語学留学のコースなどもある。

高まる一方の失業率
外国人の雇用に消極的なイタリア企業 難関突破には高度な語学スキルが必須

国全体が長く不景気の状況にあるイタリアでは失業率が高く、若年層に至っては約29％の失業率（2020年）となっている。イタリア企業は自国民の就職を優先する傾向にあり、全体的に外国人の雇用には消極的。日本人が就ける職種としては日本人を相手とする貿易・通訳・サービス業・観光業など。日系企業、外資系企業、イタリア企業、いずれも日本語・イタリア語・英語の3ヵ国語のスキルがあることは最低条件となり、これ以外に中国語・ロシア語などのスキルを求める企業も多い。近年日本語が堪能なイタリア人も増えてきているため、イタリアでの日本人の就職は非常に厳しい状況だ。イタリア人の平均給与は約1500ユーロ、初任給は1000ユーロ前後。交通費などは自己負担になる。

インターネットと口コミで職探し

求人情報はインターネットの求人サイトが一般的だが、実際にはサイト経由で応募しても返事が来ない場合がほとんど。気になる情報を見つけたら、サイト経由ではなく直接その企業にアプローチする勇気が必要。それよりも有益なのは口コミ。コネ社会のイタリアでは職探しも口コミがいちばん効力を発揮するため、周りのイタリア人に「仕事がほしい」と話して広めてもらうことが大切だ。

一方、芸術・料理・観光ガイド・通訳など専門分野でフリーランスとして働くには自営業用滞在許可証と専門の会計士を雇う必要がある。許可証取得には契約先との契約書が必須で、やはり人脈作りがカギとなる。

暮らしも文化も街ごとに違う
「モダンな北とのどかな南」仕事も人の気質も南北では大きく異なる

南北で異なる産業と人の気質

南北に細長い国土を持つイタリアは、歴史的にもドイツやアラブなどさまざまな国の支配を受けてきた。そのため、各地の土地ごとに根付いた文化は多種多様で、住民の気質にも大きな違いがある。日本人が持っている陽気でおおらかなイタリア人のイメージは概して南イタリアの人々を表し、ミラノなど北イタリアの人々はむしろシャイで几帳面な印象が強い。イタリアで快適に暮らすには、「自分の性格に合った気質の住民がいる街」を調べることも大切だ。

仕事に関しても南北では大きな違いがある。ファッションや自動車に代表される工業はミラノ、トリノ、ジェノヴァなど北イタリアに集中。このエリアには製造業や貿易、服飾・宝石産業の企業が集まっている。反対に南イタリアでは農業や漁業、観光業、映画産業が盛ん。中央イタリアでは農業とともに伝統工芸品・美術品・楽器などの製造がおもな産業となっている。所得や物価に関しても工業が盛んな北イタリアと農業中心の南イタリアでは大きな差がある。日本に似たライフスタイルを望むなら北イタリアの都市部が近いが、家賃や生活必需品の価格は高く、仕事中心の生活になることは否めない。ゆったりしたイタリア的な生活を望むなら南イタリアだが、仕事や収入、利便性に関しては北イタリアほどの水準は望めない。どのような暮らしがしたいか、あらゆる角度から熟考して住む場所を選ぶほうがいい。

Italy

口コミ情報がいちばん有効

ルームシェアやホームステイなど予算に合ったライフスタイルを選ぼう

どこに住むかで大きく変わる

イタリア生活でいちばん大きな出費となるのが家賃。大都市の相場は東京と同じかそれ以上に高い。たとえば、ミラノやローマ、フィレンツェの中心街では、狭いワンルームのアパートでも家賃は最低７００〜８５０ユーロ。それ以外に毎月共益費、管理費なども必要になってくる。中心街に住む利点は足の便のよさにあり、おもな観光スポットも徒歩で回れるのが魅力だが、その分物価も高くなる。

一方、郊外の新興住宅地は家賃は若干低くなるが、ファミリー向けの広い家が多いためひとり暮らし用の物件を見つけるのが難しい。郊外や地方都市は総じて家賃も物価も低く抑えられ、生活費は都市部の半分程度で済む。

ルームシェアやホームステイを活用

平均給与が１５００ユーロ前後といわれているイタリア人にとっても高い家賃は悩みの種で、若い独身者や学生にとっては賃貸でひとり暮らしをするのはほとんど不可能に近い。もともとファミリー用物件が圧倒的に多いイタリアの住宅では、ワンルーム物件は高価で探すのも難しい。ファミリー用アパートは寝室が3つも4つもある家が多く、サロンやキッチンも広々としていて暮らしやすいため、学生や若者は部屋数の多い大きなアパートを数人でシェアするのが一般的。ルームシェアやホームステイでは光熱費や管理費など共有の生活費を折半できるというメリットもある。いずれの場合もキッチンやバスルームは共有で、都市部ではひと部屋350〜450ユーロ、郊外や地方都市では180〜250ユーロが目安。シェア・ステイ、ひとり暮らしでも賃貸物件はほとんど家具付きなので、スーツケースだけ持って行けばすぐにでも生活が始められる。

どこに住むか、誰と住むかは妥協せずにしっかり選ぼう

家探しは口コミがいちばん有効

留学などの場合、受入先の学校に事前に申し込めばステイ先を手配してくれるところが多い。ルームシェア、ホームステイ、ひとり暮らしなど希望ごとに相談にのってくれるはずなので、はじめてイタリアで暮らす人にはとても頼りになるシステムだ。シェアやホームステイではイタリア人の友だちや家族ができる可能性も高く、語学力を磨くのにも最適。ただし、気が合わない人だと最悪の滞在になってしまう。その場合は我慢せず、手配してくれた学校の担当者などにすぐに相談して変えてもらったほうがいい。

イタリアでの家探しは根気と体力と運が必要である。家を借りたい、気に入った居住区に引っ越したいとなったら、最初にすることは「○○エリアで家を探してるんだけど」と、とにかく友だちや知り合いにいって歩くこと。家探しには口コミがいちばん有効だからだ。さらに住みたいエリアの不動産屋をしらみ潰しに当たったり、学校の掲示板でシェア情報を探したり、ネットで賃貸情報を探したりという地道な努力も必要だ。また、学生が多く暮らしている大学付近のエリアでは路上やスーパーの入り口などに「ルームメイト募集」と書かれた貼り紙もたくさん見つかる。電話番号が書いてあるので、連絡してまずは物件を見てみるのもひとつの方法だ。

「どこに住むか」「なにをするか」目的を明確にしてから滞在先を選ぼう

街の規模でも異なる暮らし

街の規模でも変わるライフスタイル

イタリア暮らしは南北の違いだけでなく、街の規模によってもライフスタイルが変わってくる。ローマ、ミラノ、フィレンツェ、ナポリ、ヴェネツィアなど14の大都市以外は中小都市となり、街の規模や住民数もコンパクトにまとまっている。留学でイタリアに滞在する場合、「どこに住むか」を優先して学校を選ぶ人も多いと思うが、たとえばローマやミラノの学校とシエナやペルージャなど中小都市の学校では滞在期間中の生活費などに大きな差が出る。一般的に中小都市のほうが物価は安く、生活のリズムもゆったりしている。反面、住民が皆顔見知りというような小さなコミュニティに戸惑ったり、大都市にあるような便利なサービスが見つからずに不便を感じたりすることもあるだろう。イタリア的なゆったりした暮らしは中小都市や田舎へ行けば行くほど実感できるが、その際は日本にあって当たり前の便利さは求めないほうがいい。

一方、「なにをするか」という目的が最優先の場合は街の規模は選べないこともある。たとえばアグリツーリズモで語学習得とワイナリー体験を兼ねた滞在をする場合、大自然の中でおいしい料理やワインに囲まれた豊かな時間が過ごせる反面、車がなければ近隣の街へ遊びに行くことも難しい、ということもあり得る。地方都市や田舎ではバスや鉄道などの公共交通機関があまり発達していないため、ストがあったりすると立ち往生することになるので注意。

Finland

[第7章] フィンランド

幸福度1位で注目の国

文・靴家さちこ

日本にいちばん近い欧州
豊かな自然とライフスタイルが日本人を惹きつける「幸せの国」

フィンランド共和国
Republic of Finland

- ■人口……551万人
- ■GDP……2,753億ドル
- ■ひとりあたりGDP……49,845ドル
- ■実質GDP成長率……2.4%
- ■日系企業(拠点)数……165社(前年比−22.2%)
- ■在住日本人数……2,127人(前年比+6.1%)

住んで暮らしてみたくなる国

北欧を旅するとき、数ヵ国周遊して違いを楽しむ旅人は多い。中でも映画やテレビの特番やメディアから受ける好印象や、欧州のハブ空港であるヘルシンキ空港の利便性、フィンランド航空のお手頃な航空券が理由でフィンランドは外せない。またフィンランドは、GDPに対して社会保障費が30・9%を占める(2017年)など社会福祉が充実していて、国連の幸福度ランキングでも2018年から4年連続1位の国ということで、スタディーツアーへの参加者や視察に訪れる関係者も多い。

森と湖に、オーロラや白夜などの大自然に、日本とほぼ同じ国土面積に北海道と同等の人口という人の少なさや、16時には退社できるワークライフバランス、のびのびした教育や平等で弱者にやさしい社会構造も、実際に住んで暮らして経験してみたい魅力的な要素だ。

両国のかけ橋はムーミン?

フィンランド生まれで日本でも人気を博しているものといえば、小説やコミックでおなじみのムーミンだ。両国の文化のかけ橋といえる。ムーミンの原作者トーベ・ヤンソンがフィンランド人なので、フィンランドにはムーミンワールドというテーマパークがあり、ムーミン美術館もある。日本でもムーミンバレーパークが開園したことや、ムーミンカフェがあることもよく知られている。日本から来たというと「じゃあムーミンが好き？」と聞かれるのはよくあることだ。

　フィンランドでは日本米に近いお米とおいしいサーモンが簡単に手に入るので食生活の面からも心強い。住居もバスタブがなくてもサウナ付きの物件なら、お風呂ロスを埋めてくれる。フィンランドは「人が集まるところにサウナあり」といわれるほどの、サウナ発祥の国なので、集合住宅にはほとんど必ず共同のサウナがある。アパートの部屋にもサウナ付きの物件がある。

　肝心の語学だが、フィンランド語は格活用が15種類以上もある殺人的な言語ではあるが、北欧言語の中で唯一インド＝ヨーロッパ語族以外に属しており（つまり英語やドイツ語と似ていない）、ほとんどの単語が子音と母音が交互に並ぶ、極めて日本語に近い音の言語なのだ。フィンランドで暮らすにはフィンランド語ができるに越したことはないが、フィンランド人の多くは英語も話せるので、英語が話せれば5年は暮らせる。さらに1917年にロシアから独立したばかりの歴史的に新しい共和国というフラットな社会であることも、気楽に暮らせる要因であると、在住者にも好評だ。

労働権の幅の広さに注目

　日本への直行便は、フィンランド航空と日本航空で、ヘルシンキ＝東京、大阪、名古屋間がそれぞれ週に3～7便、飛行時間もわずか10時間と短い。日本との外交関係が1919年から続いており、2国間にはさまざまな交流がある。そのため、一般労働権の対象者には、企業役員、管理職や専門職、プロのスポーツ選手やトレーナー、芸術分野などの専門家やマスコミ関係者も含まれる。

　雇用就労でも自営就労でも、在留許可と就労許可の両方が必要ではあるが、自営業者の中には個人事業主やフリーランスも含まれている。個人事業主になるためには事業計画書の提出が必要となるが、英語での記入もできる。能力さえあれば外国人であることは負にならないフェアな国だ。

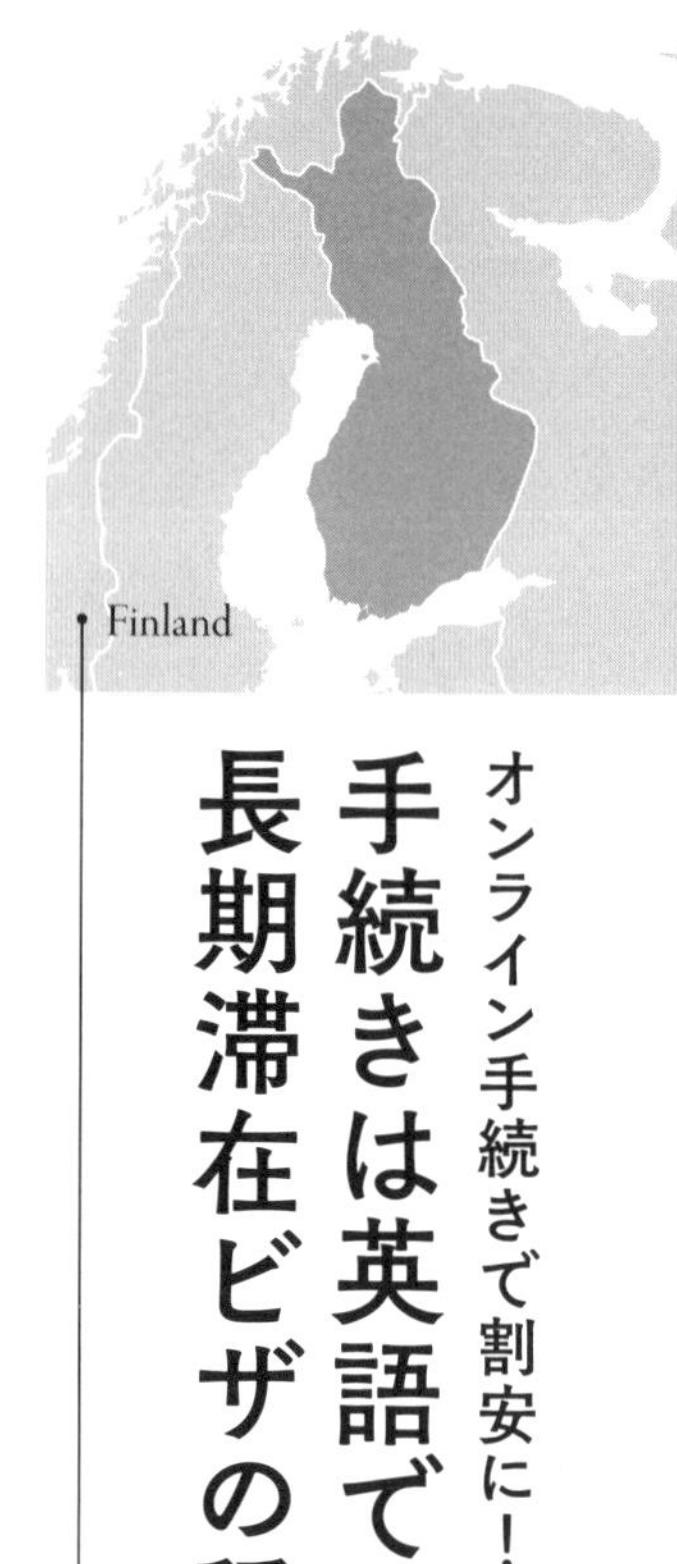

オンライン手続きで割安に！

手続きは英語でできて意外と簡単
長期滞在ビザの種類と必要な書類と条件

在留許可とその種類

日本のパスポート保持者の90日以内の観光、商用、知人訪問等を目的とするフィンランドへの入国にビザは不要だが、90日以上の長期滞在からは在留許可が必要になる。

フィンランドの在留許可の種類には、①大学・専門学校への3ヵ月を超える通学が対象の留学ビザや②就学、③就労や④起業ビザや⑤配偶者ビザに、⑥パートナービザや⑦オペア（Au Pair）用ビザなどがある。

在留許可は、フィンランドの渡航前に申請が必要で、観光などでフィンランドに入国し、90日経過した後に滞在期間を延長するために在留許可を取得することは、フィンランド人との婚姻を除いて原則的に認められていない。一方、観光や商用、知人訪問等を目的としておらず、サマージョブ（注1）や季節労働者（農業やツーリズム関連業）としてフィンランドに入国する場合には、〝滞在期間が90日以内でも〟在留許可証が必要だ。

必要な書類、料金と条件

在留許可証の申請には、①査証申請用紙と②写真、③パスポートと④旅行保険が必要だ。⑤必要があれば航空券、宿泊予約確認書、個人宛招待状、公式招待状などの補足書類も（たとえば留学ビザの場合、入学許可書と月560ユーロ以上の預金残高証明と語学能力証明など、就労ビザの場合は雇用契約書など）。⑥さらに渡航目的を満たすために、滞在期間中すべての滞在及び活動費用を負担できることを証明する必要がある（フィンランドでは1日最低30ユーロは必要と計算）。また、訪問目的を確認するため、大使館が面談を求める場合もある。

申請は必ず本人が行う。日本での受付は、東京のフィンランド大使館のみ。在留許可証の申請料金は、留学や就労など目的により異なるが、410〜690ユーロが目安（18歳以上の場合）で、事前に電子申請で手続きが済んでいる場合には350〜490ユーロと割安になる（※2021年3月現在）。申請料金は、申請窓口で支払う場合には、現金でもクレジットカードでも支払いが可能だが、いかなる理由があろうとも返金はされない。

申請の手順

申請書は、遅くとも出発予定日の15日前までにフィンランド大使館に提出しなければならず、申請は渡航予定の3〜6ヵ月前から受け付けている。手順は、①電子申請書をフィンランド移民局HP経由で提出するか書面で提出する。②その際フィンランドへの渡航目的（フィンランド国内での就労、就学または、家族帯同）に応じた様式を選択する。③申請書の各項目を正確に記入し、補足書類の内容を確認する。④申請書の記入・提出後、フィンランド大使館での本人確認手続きの予約をする。⑤フィンランド大使館に赴き、本人確認完了後、在留許可申請費用を支払う（申請費用はいかなる場合でも返金されない）。⑥フィンランド大使館で手続きの後、審査事務はフィンランド移民局に移管する。⑦審査結果は申請者に速やかに通知され、許可が下りた場合には、在留許可証（カード）が送付される。

取得にかかる日数は、混み具合や在留許可の種類により異なる。特に就労については5ヵ月以上かかることもあるので、余裕を持って申請することをおすすめする。雇用就労、自営就労の場合には、在留許可と就労許可の両方が必要なので、フィンランド大使館にて両方の許可を同時申請する。審査は移民局・雇用経済開発センター（雇用労働省）・警察のそれぞれが行い、総合的に判断される。在留許可申請の詳細は、フィンランド移民局（注2）の公式ウェブサイトと日本のフィンランド大使館の公式ウェブサイト(P．221)を参照し、最新の情報をもとに行動に移そう。

注1：企業が従業員の夏休み中に学生などに対して募集する。　注2：フィンランド移民局　https://migri.fi/etusivu

Interview

プログラミングスキルを武器に ワークライフバランスを手に入れる

「フィンランドにはじめて来たとき、街も人もすぐに好きになりました」と語るKNさん（40歳）は、ヘルシンキのコンサルティング企業に勤めるプログラマーだ。フィンランドは、日本の大学の教授からすすめられ、はじめて訪問した外国。自然が豊かでのんびりしていて、肌に合うと確信し、長期滞在を考えはじめた。

KNさんは、日本の大学の文系学部を中退。大学の教養科目で学んだプログラミングを独学で続け、IT企業に就職した。会社では基本から教わり、プログラマーとして従事したが、納期が厳しく多忙だった。まだ20代だったKNさんはバリバリ働き、貯金は増えたが、使う時間も友だちと会う時間もなかった。人生を変えたいと望んだKNさんは辞職し、大学の情報学部に入学した。

2国間の働き方の違いに衝撃

フィンランドにフィールドワークで来たとき、KNさんは31歳。在留許可不要でいられる最長期間の3ヵ月間滞在し、教授からの紹介でアアルト大学の教授を訪ね、IT関係者と出会い、たくさん話を聞いた。フィンランドのワークライフバランスについて聞けば聞くほど、日本の元勤務先との違いに衝撃を受けた。

帰国してからKNさんは、フィンランドの大学院を2回受験したが、2回とも失敗。人材募集しているフィンランド企業をネットで探し応募したら、1社目で採用が決まった。実務経験があり、ネットで販売されている、既存の自作アプリを技術力として見せられたのが強かった。

ビザ取得に受け身や遠慮は無用

採用までがとんとん拍子だったKNさんだが、就労ビザ（在留許可証と労働許可証）では冷や冷やさせられる場面もあった。
　ビザの手続きは就職先がするのだと思っていたら、なかなか動いてくれない。そこでKNさんが調べると、就労ビザにはスペシャリスト枠があり、IT技術者もそれに該当するので、通常より早く下りるという。しかし雇用契約書がないと申請もできないので問い合わせると、先方は今までフィンランド語ができない社員を雇ったことがないので、契約書を英訳しているのだという。そこからまた進まないので、KNさんは「フィンランド語でもいいからください」と迫り、フィンランド語の契約書を翻訳ソフトで読んで確認し、サインをした。

プライベートを重視する生活　©Juho Kuva/Visit Finland

　KNさんが該当したスペシャリスト枠での申請は、在留許可が下りる前にフィンランドへの渡航が可能だったので、KNさんはヘルシンキに飛び、在留許可は最寄りのフィンランド警察で申請した。それから約2ヵ月半後、労働許可が下り、KNさんのワーキングライフが始まった。初任給は3700ユーロ。ヘルシンキ中央で快適な暮らしをするのに十分な収入だ。

16時退社は本当だった

勤続5年目になるKNさんの会社では、100人以上の従業員が上下関係も性差もなく働いている。共通語は英語。終業時間は本当に16時頃。テレワーク時は会議の時間だけ厳守で、1日のスケジュールも休暇もプライベート優先で決められる。

　KNさんの就労ビザは、1年目は期限付きのB、2年目から継続型のAに切り替わり、4年後には条件付き永住許可も得た。しかし就労が在留条件なので、失業すれば転職するなり起業するなりし手を打たなければならない。それを差し引いても、KNさんにとって「仕事さえ終わればすべて自由」なフィンランドのワーキングライフは幸せそのものだ。

　この体験談は、IT技術者という国際就職の王道ではあるが、積極的な攻めの姿勢と的確な判断が参考になるサクセスストーリーだ。

フィンランド暮らしにはいくらかかる?
北欧の高い(?)物価も工夫次第でQOLの高いライフスタイルに変えられる

物価も税金も高いといわれるフィンランドだが、米国の金融ニュースサイトGOBankingRates.comによる「生活費の高い国ランキング」では18位と、じつは8位の日本より生活費のかからない国だ。また首都ヘルシンキの生活費は、フィンランドのほかの地域の2倍という統計もある。そこを踏まえてフィンランド暮らしの値段を検証してみよう。

就職の可能性と交通の便は大事

住む場所を考える際には、就職(サマージョブやインターンシップも含め)の可能性を考えよう。フィンランドは、日本とほぼ同じ国土面積に550万人が暮らし、人口の約85%が都市部に集中している。よって職探しをするなら、首都ヘルシンキを筆頭にエスポー、タンペレ、ヴァンター、オウル、トゥルクにユヴァスキュラなどの都市部を狙うべきだ。家賃はヘルシンキ市内ではそれ以外の自治体の1・5倍と差が大きい。しかし、電車やバスだけでなく、トラムとメトロも使える首都の公共交通機関があれば、維持費が高い車を持つ必要がなくなる。トラムは2021年からタンペレでも開通するが、ほかの地方都市で使える公共交通機関はバスのみだ。ヘルシンキの公共交通機関の定期券は、ひと月99・70ユーロでABC区間どの乗り物でも乗り放題だ。ヘルシンキの家賃の相場は、家具付きのシェアルームなら250ユーロから、ワンルームなら650ユーロ〜1000ユーロぐらい。敷金は1〜2ヵ月分の家賃を納める。家電は基本的に冷蔵庫、食洗器はほぼ備え付けられており、洗濯機はマンション共同のものもあれば、部屋に備え付けのところもある。水道代はひとりあたり月20ユーロほどで、家賃とまとめて大家に払う。通信費はひと月25ユーロほど、携帯電話もモバイルデータ通信無制限で月25ユーロぐらい、光熱費も月25ユーロ前後とそう高くはない。

食材は価格も税率も低い

食生活に関しては、外食をせずアルコールも飲まずに切り詰めるとひと月200〜350ユーロで暮らせる。食材の相場は、牛乳1ℓが1・30ユーロ、お米1kgが1・90ユーロ、じゃがいも1kgが1・80ユーロに鮭が1kgで19ユーロぐらい。消費税も食品は9％と、お財布にやさしい。これが外食をすると1回の食事がランチは12ユーロ以下に抑えられても、ディナーは最低25ユーロ、アルコールにも手を出すとすぐに50ユーロを超えてしまう。

外食や飲酒以外のエンターテインメントは、博物館や美術館の入場料は約12ユーロ、映画は15ユーロ、遊園地は1日利用券が42ユーロ。地方都市へプチ旅行に行きたければ、たとえばヘルシンキから約170㎞離れたトゥルクまでの特急電車の券は早割で片道約10ユーロから、長距離バスなら1ユーロで行ける。国内線の飛行機はたとえばロヴァニエミまでは85〜250ユーロほど。夜行列車ならば、片道約35ユーロから90ユーロだ。ホテルは全国的に1泊60〜140ユーロ程度で泊まれる。

ちょっとした贅沢も工夫次第で

衣服に関しては、ヘルシンキに無印良品が開店したものの、海外の高級ブランドという位置付けなので、お手頃感はない。ユニクロの出店はまだなので、頼りはH&MやLindexなどスウェーデン発のファストファッションチェーンだ。Marimekkoなどの高級ブランドもセール、アウトレットやフリーマーケットをうまく活用すれば、決して高嶺の花ではない。

これらをすべて考慮に入れて計算すると、ヘルシンキでワンルームの賃貸で1ヵ月暮らすのに必要な金額は1000〜1800ユーロぐらいになる。一般的なフィンランド人のライフスタイルは素朴で肩ひじ張らないものなのでその感覚に合わせていくと、工夫する楽しみが増え、自然に節約上手にもなる。

フィンランドは世界一安全な国？
自転車の鍵はしっかり性犯罪と飲酒に注意

世界一安全な国

世界経済フォーラムの「旅行・観光競争力レポート」2019年版によるとフィンランドは「安全性と保安」部門で140ヵ国中第1位（日本は13位）の「世界でもっとも安全な国」だ。フィンランドでは毎年約100万件の犯罪や違反が警察に報告されているが、それらの約半分は交通違反。だが、ここ数十年、一般的な犯罪件数は増加傾向で、盗難件数の増加はないが、詐欺の件数が著しく増加している。

首都の混雑する場所に注意

フィンランドの人口の1割強を集める首都ヘルシンキは、外国人や観光客も集まるところなので、文化摩擦や軽犯罪が多い。たとえばヘルシンキ中央駅とその周辺や地下広場、ヘルシンキ大聖堂やマーケットスクエア周辺、カンッピショッピングセンターとその周辺エリアなど混雑する場所は注意が必要だ。日本外務省は観光シーズンのヘルシンキなどの都市部での窃盗や置き引き、スリ、詐欺、財布等の中身、クレジットカードの番号や暗証番号の提示を求めるニセ警察官への注意を呼びかけている。このように気を付ける必要はあるが、在住邦人の7割は首都圏に暮らしている。フィンランド全土において、治安面から住むのは避けたほうがよいという地域はない。

フィンランドはどんな田舎でもドアはすべてオートロック式で、窓も防寒のために二重サッシ、バルコニーもガラス張りなので、空き巣の被害はあまりない。もっとも被害届が多いのは自転車泥棒だ。フィンランドでは自転車にはポールや自転車置き場につなぐチェーン式の鍵が一般的に使われているが、簡易式の鍵だと鍛えている人なら思い切り引っ張るだけでも壊すことができるので、なるべく頑丈なものを買おう。

治安というより雰囲気的なものだが、ヘルシンキ市でも、2～3割以上が外国人という東側のヴオサーリ地区は、保守的なフィンランド人には不評な地域だ。若者のエリア、田舎から上京してきた人たちがとりあえず住みつくカッリオ地区も、おしゃれで開かれている反面、根無し草的な落ち着きのなさが漂う。

ICTや環境技術などの先端技術を駆使した持続可能なスマートエリアとして開発が進むカラサタマ地区は、モダンな商業施設や集合住宅が建てられ、新しいヘルシンキの顔となりつつあるが、夜の無人の工事現場周辺には近づかないほうがよい。

気になる統計

治安がいい国ランキングとは矛盾する統計もある。そのひとつは殺人発生率だ。フィンランドは人口10万人あたり1・6人と日本の0・3人のほぼ5倍もある。またフィンランドは現在にも強く残る狩猟の伝統があるため、国民ひとりあたりの銃の所有率が世界で10番目の国でもある。銃の乱射事件は2010年代に首都圏近郊で3件、2016年には東部で1件と、小規模ながら継続的に起きている。テロ事件は、2017年に西部のトゥルク市でナイフによる無差別襲撃事件が発生した。

殺人とアルコールの密な関係

フィンランドの殺人数は前年度から28％増加している。フィンランドの殺人事件のほとんどは、社会的に排除された男性アルコール依存症者間の争いが原因だ。殺人率はロシアやバルト諸国に比べ低いが、西側諸国より高い。アルコール中毒は伝統的な社会問題で、家庭内暴力にも及んで多くの悲劇をもたらしてきた。

もうひとつ気になるのは性暴力。2019年のアムネスティ国際ニュースが、フィンランドでは、毎年およそ5万人の女性が強かんなどの性暴力の被害に遭っており、加害者が罪に問われることはほぼないと報じている。アムネスティは2019年の調査報告でフィンランドに警鐘を鳴らしている。

「世界一」って本当？

見たい、聞きたい、体験したい フィンランドの教育事情

ＯＥＣＤ（経済協力開発機構）主催のＰＩＳＡテストで常に上位にランクインすることから「教育大国」と呼ばれるフィンランド。ＰＩＳＡとは、ＯＥＣＤ加盟国を中心に実施される、15歳を対象とした国際的な学習到達度テストのこと。２０００年の開始以降３年ごとに実施され、読解力、数学的リテラシー、科学的リテラシーの３分野を中心に、義務教育修了時点で学んだ知識を実生活にどの程度応用できるかを測る。

フィンランドはPISA2003において全分野で好成績を収め、「学力世界一」の座についた。以来同国は、日本をはじめ世界中の教育関係者が絶えず訪問するメッカだ。

魅力的な特徴の数々

フィンランド教育の特徴は、プリスクールから大学院まで学費が無料で「平等な教育」を実現していること、授業時間や家庭学習の時間が少なく「効率的」であること、教師には全員修士号の取得が義務付けられているなど「教師の質が高い」ことなどが挙げられる。また、２０１６年の教育改革により、世界ではじめて小学校で「プログラミング教育」を必修化したほか、年に１回以上の実施が義務付けられている「クロスカリキュラム」という、教科や学年の枠を超えた生きた総合学習への取り組みでさらに教育関係者から注目を浴びている。

多岐にわたる教育制度

フィンランドの義務教育は、６歳児が通うプリスクールからはじまる。

小学校で使われている英語の教科書

7〜16歳の生徒は1〜6年生の小学部と7〜9年生の中学部に分けられ、9年制の基礎学校で学ぶ。卒業後、生徒の約半数は高校、残りは職業訓練校に進学する。高校は、生徒自身が学習計画を立てて履修する単位制で、卒業には2〜4年かかる。最後の年には卒業資格試験があり、その資格が取れない、もしくはドロップアウトするリスクもある。卒業資格試験の結果と内申点は大学入試の合否判定に使われる。職業訓練校には、50以上の職業資格で100以上のコースが用意されており、その中から職業資格の取得をめざして2〜4年間、職場での実習を重ねながら即戦力を身に付ける。

高等教育機関としては、フィンランド全土に13の大学と22の応用科学大学（ポリテクニク）がある。大学は一般的に、学士課程で3年、修士課程は2年で学び、応用科学大学は大学よりも実践的に、実習期間も含めて3〜4年半ほどかけて学士号取得をめざす。職業訓練校と高校、応用科学大学と大学は対等な位置付けで、応用科学大学卒の学士でも、大学の修士課程に進学することも可能なので、より自由で柔軟に進路を切り拓くことができる。

リアルに体験するには？

前述の通り「世界一の教育」が実践されている現場は義務教育課程だ。世田谷区や渋谷区、埼玉県などが小中学生を短期プログラムで派遣しているが、正式なフィンランド留学となると早くても高校の交換留学からだ。高校では英語で受けられる授業が限られているが、フィンランド全土の大学と応用科学大学では、英語で学士と修士号を取得できるプログラムを450以上提供している。フィンランドの高等教育機関には、世界各国から2万人以上の留学生が在学している。世界一の義務教育を受けたフィンランド人たちとともに学び、過去に受けてきた教育の話を聞かせてもらうのもひとつの手だ。それよりいまの義務教育を受けている子どもたちと毎日ふれあい、教育現場の中に入り込みたければ、オペア制度やインターンシッププログラムがおすすめだ。

本当に住んでも大丈夫？

厳しい自然が身近な北欧フィンランドの気候

国土の3分の1が北極圏

フィンランドの首都ヘルシンキは、北緯約60度。ちなみに北海道は北緯45度だ。フィンランドの国土は南北に長く、北部ラップランドは国土の3分の1を占める北極圏に突入する。四季は比較的はっきりしており、冬（11～3月）は長く寒く、平均気温はヘルシンキでマイナス5度くらい。春（4～5月）と秋（9～10月）は短く、桜やリンゴの花やカエデの紅葉が美しい。気温はヘルシンキで5～10度ほどで、短い夏（6～8月）の平均気温は15度前後だ。

白夜が怖いか極夜が怖いか

6月～7月の白夜の時期は、南部でも23時頃に日没を迎え、高緯度の北部では日が沈まない。逆に12～1月頃には南部でも日照時間がわずか5時間、最北の街ウツヨキでは日が昇らない極夜が訪れる。この暗さは、フィンランド人でも苦手で、季節性の鬱を患う人もいる。また、白夜で明るくて眠れず体調不良を訴える人もいる。冬にヘルシンキを訪れる人たちは、5㎝足らずの雪の少なさに驚き、「それほど寒くないですね」と拍子抜けする。暖かさの秘密は、北大西洋海流という暖流の影響だ。さらにセントラルヒーティングや気密性のある家の構造などで、寒さを乗り切る工夫はある。

オーロラが見られる地域もある　©Asko Kuittinen/Visit Karelia

Finland

日本からの進出企業は多様

やっぱり強いITスキル 最強の武器は寿司

外務省の調べによると、フィンランドに進出している日系企業の数は165社となっている。2019年11月には欧州最大規模の無印良品がヘルシンキにオープンした。フィンランドにある日系グループ企業の大手には、トヨタ、日産、富士通、村田製作所の子会社などがあり、近年は、日本企業によるフィンランド企業の買収の実例もある。

駐在員求人でもっとも多いのはIT関連のエンジニアで、次は営業職。月給は25万円ぐらいからで、日本の給料の1・5倍ほど。ITの専門知識があれば可能性は高い。現地採用のプログラマーの平均月給は3100ユーロ、プログラマー以外のエンジニアは3600ユーロだ。デジタルマーケティング部門の採用も多く、内容によっては4000ユーロ近くも望める。

フィンランド中で求められるお寿司

日本人として強い職業は調理師。特にヘルシンキでは多くのレストランがシェフを募集している。中でも寿司職人の募集は絶えず、フィンランド全土に広がる。スーパーの寿司の量り売りが流行っているからだ。

寿司職人の平均給料は2955ユーロと、一般のシェフの2085ユーロよりも高い。フィンランドで飲食業の仕事に就くには衛生管理パスの取得が必要だが、試験の難易度は低く、英語でも受験できる。

日系企業はいろいろ

フィンランド留学あれこれ

意外にも(?)英語が身に付き、世界が広がるフィンランド留学

世界最大の国際教育企業エデュケーション・ファーストの「英語能力指数ランキング」（2020年）によると、フィンランドは、世界100ヵ国中3位に入る上級英語話者の国（日本は55位）である。上位のオランダ、デンマーク、スウェーデンなどは、英語と同じインド＝ヨーロッパ語族の国なので驚くにはあたらないが、フィンランド語はウラル語族という、英語とはかけはなれた言語の仲間だ。そんな頑張り屋さんの国、フィンランドの高等教育機関では、海外からの留学生や移住者のために、英語で学位を取得できるプログラムの提供に力を入れている。

チャンスが大きな交換留学

フィンランドの大学と応用科学大学（P.181）には、450以上の英語で受講できるプログラムが用意されている。英語のみで学位を取得できるプログラムは、大学より応用科学大学に多い。大学留学の種類には、学士、修士、博士号の取得をめざす①正規（学位取得）留学と、フィンランドの大学との協定を締結している大学の大学生向けの②交換（協定）留学（数ヵ月～1年、学位は取得できない）と協定がない大学に、推薦状と願書で申し込み、受け入れが決まると実現する③訪問留学（Visiting student、6ヵ月～1年）がある。①は、留学先の大学、もしくは応用科学大学を受験するのでかなりの労力が必要だが、②は自分が在籍する日本の大学の交換留学制度に沿うだけなので、手続きやプロセスがシンプルだ。③の場合は、交換

ヘルシンキ大学©Mika Huisman

留学生とほぼ変わらない身分でコースを受講できる。

英語で学位を取得できるプログラムは、Studyinfo.fiやFINNIPSというサイトから詳しい情報が得られる。英語でのプログラムを希望する場合は、大学や学部によって、IELTS 6～6・5ポイント、TOEFL PBT 550～580ポイント、TOEFL iBT 72～92ポイントなどの基準を設けているので、志望校のウェブサイトで確認しよう。

また、高福祉ゆえに「学費が無料」として知られるフィンランドだが、〝英語で〟学士や修士課程を学ぶEU圏外からの留学生の学費は年間8000～1万8000ユーロもかかる。受け入れ先のフィンランド側にも派遣元の日本にもさまざまな奨学金制度があるので、東京のフィンランドセンターなども活用して、事前にしっかり情報収集して臨もう。

気軽に試せる「開かれた学び場」

フィンランドでは多くの大学が、Avoin yliopisto（オープンユニバーシティー）や夏限定のKesäyliopisto（サマースクール）を開催している。オープンユニバーシティーの授業料は60ユーロからで、聴講型や、週に1授業などのゆっくり展開されるもの、さらに夏休み中に1～3ヵ月で完結するコースがあり、中には英語で学べるものもある。サマースクールは、英語やフィンランド語の1～3ヵ月間の短期集中コースがある。それらを活用すれば、ビザなしでも語学留学が実現する。受講料はコースによって100～120ユーロとさまざまで、やはり英語で学べるコースもある。短期の語学コースはほかにも、各自治体にあるAikuis Opisto（成人教育センター）やTyöväenopisto（労働者学校）、Kansalaisopisto（コミュニティカレッジ）などが提供している。これらの教育機関でも、英語で聴講できる文化・社会学的なレクチャーもあれば、ヨガなどのスポーツや手工芸や料理など、フィンランド語でも楽しめるコースもあり、授業料も15ユーロから60ユーロぐらいとお手頃だ。

賃貸物件を探すプロセスは
ネットを駆使して物件探し 難航する人もすんなり決まる人も

都市化が進み、人口増傾向にあるヘルシンキでは、賃料も年々上昇している。一方、ドイツ銀行が発表した「賃貸が高い国ランキング」（2019年）では東京が10位で、ヘルシンキは15位。物価が高い北欧国のイメージがあるが、賃料面ではそれほど深刻ではない。物件探しの困難は、交通の便、人気エリアや外観内装への細かいこだわりや、大家との連絡のスピード感、ほかの入居希望者との競争から来る。学生用の住居は特に優遇されているので、制度や利用資格を事前に調べよう。

学生にはやさしい家賃

正規留学や交換留学の場合、受け入れ先が決まったらSOAというフィンランド学生住宅組織協会のウェブサイトを見てみよう。同サイトにはたとえば、ヘルシンキエリアの大学が共用する「HOAS」、ユヴァスキュラには該当エリアの大学が共用する「KOAS」など、フィンランド全国の学生住宅財団のリストが掲載されている。管轄のエリアに申し込むと、学生用の住居を斡旋してもらえる。信用調査や連帯保証人は不要。財団からオファーが来て決まれば、メールで承諾し、保証金（日本でいう敷金、約500ユーロ）を海外送金するというプロセスだ。

住居の種類はシェアルーム、ワン

ヘルシンキの集合住宅　©Helsinki Marketing

ルーム、ファミリータイプ、２LDKなど。シェアルームの場合、月250ユーロ、ワンルームは月500ユーロぐらいからだ。シェアルームの一例を挙げると、家具や食器類に清掃道具などは備え付けで、洗濯乾燥機、サウナとアクティビティー室は共同、個室は鍵付きで、台所やバスルームなどを３人で共有するタイプで月々320ユーロ。電気、水、暖房、インターネット代も含む。

新学期は8月からで、その頃には学生向けの物件がいっぱいになる。

訪問留学生（P．184）は学生住宅財団からの斡旋がない、あるいは家具なしのアパートしか斡旋してもらえないので、一般の物件探しも覚悟して、早めに家探しをはじめよう。

ネットで探す一般の物件

フィンランドの大手不動産情報のウェブサイトには、全国の物件の写真、間取り、家賃、住所などの物件情報が掲載されているので不動産会社を回る必要は特にない。ウェブで調べて、気になる物件があれば連絡するだけだ。不動産サイトはVuokraoviが最大で、英語で検索することもできるが、良物件はOikotieというサイトのほうが多い。フィンランド語のサイトだが、翻訳ソフトを使えば問題ない。知っておくと便利な単語は、Talotyyppi（物件のタイプ）や、Vuokra（家賃）、Kerrostalo、（アパート）、Huone（部屋）、Sijainti（場所）などがある。略語のhは部屋、kはキッチン、pはベランダ、sはサウナのことだ。

バスタブ付きの物件は少ないが、サウナなら、建物共同か部屋に付いている物件がある。水道代は定額でひと月18ユーロほど。電気代は、フィンランドはセントラルヒーティングなので暖房費がかからないため、ひと月に30ユーロぐらいで済む。

賃貸契約を結ぶにあたって、外国人であることのデメリットはまったくないわけではないが、人気物件は競争が激しいので、きちんと払い続けられるアピールをする必要はある。すでに現地に知り合いや友だちがいるなら、思い切って頼ってみるといい。フィンランド社会は小さいので、誰かの知り合いが物件の所有者であったり、ちょうど引っ越すところなどという、有力情報を得るチャンスが広がる。ネットワーキング力もあればまた強しなのだ。

Interview

フィンランド人家庭で暮らし 現地生活に溶け込むオペア

K子さんは、26歳。日本の大手企業で働きながら、フィンランド移住を志すようになり、オペア制度を見つけた。オペアとは、住み込みで育児や家事の手伝いをし、月最低252（注1）ユーロの報酬を得ながら言語を学ぶプログラムだ。フィンランドの場合、資格は17～30歳で、健康で、フィンランド語かスウェーデン語、もしくはフィンランド文化の基本的な知識があることなどで、ビザは、オペアビザが1年分発給される。子ども好きなK子さんは、早速日本でオペア代理店を探し、申し込んだ。費用は3万円かかったが、Facebookのグループページなどでホストファミリーを探すより安心と感じた。K子さんは、ホストファミリーと数回スカイプで面接し、1ヵ月で採用が決まった。

家賃食費がかからない語学留学

オペアの業務時間は週に最長25時間、毎週1日以上の休日をもらい、語学学習の時間を確保する。K子さんは、ホストファミリーと英語でざっくばらんに話し、打ち解けた。子どもたちとは一緒にお菓子を作り、折り紙を教えてあげた。子どもたちがいない時間はフリーなので、その間にアクティブに出かけて現地に溶け込み、休日には、フィンランド語と英語のコースにも通った。1年はあっという間に過ぎ、オペア期間中に就職先を見つけるという望みは叶わなかったが、フィンランド式の教育や育児、ライフスタイルについては、かなり理解を深めることができたと実感している。

育児を手伝いながら言語を学ぶオペア
©Jussi Hellsten

注1：報酬額やそのほかの条件は国によって異なる。

Estonia

［第8章］エストニア

電子国家として急成長

文・大津陽子

Estonia

情報技術立国をめざす電子国家

中世の街並みと豊かな自然に恵まれた北国

エストニア共和国
Republic of Estonia

■人口……………133万人
■GDP……………305億ドル
■ひとりあたりGDP……………22,990ドル
■実質GDP成長率……………−5.2%
■日系企業(拠点)数……………88社(前年比+3.5%)
■在住日本人数……………202人(前年比+21.7%)

革新的な電子化を進める小国

エストニアという国名をはじめて聞く人は多いかもしれない。九州よりほんの少し大きい国土を持つこの国は、フィンランドと海を挟んだ本土と、２０００を超える島々からなる。かつてはソ連の一部だったが、現在ではＥＵのメンバーとなり、「バルトの虎」と呼ばれるほどの経済成長を成し遂げ、先進国の仲間入りを果たした。

エストニアをすでに知っている人がいるとしたら、「電子国家」としてではないだろうか。デジタル署名やオンライン投票、そしてほぼすべてオンラインで完結する行政サービスは、生活やビジネスの利便性を高めている。

もうひとつのエストニアの魅力は、美しい街並みと豊かな自然だ。首都タリンの世界遺産・旧市街には、城壁とパステルカラーの家が並ぶ中世の街並みが広がる。国土は森に覆われており、少し車を走らせるだけで、美しい自然を独り占めにできる。北国だけに、冬は長く暗く寒さが厳しいが、爽やかな日が続く夏は、多くのエストニア

豊かな自然に囲まれた首都タリン

人がサウナを兼ね備えた森の別荘で、この恵まれた自然を満喫している。

独立後の国づくりに燃える若い国

エストニアの歴史は他国からの侵略の歴史だ。デンマーク、スウェーデン、ポーランド、ロシア、ドイツ、そしてソ連による長い占領の時代を経て、ようやく1991年に独立を回復。やっと取り戻した自分たちの国で、エストニア人はフィンランドとルーツをともにする独自の言語や文化を大切に暮らしている。

ソ連からの独立後のエストニアは、独裁、汚職、貧困といった負のイメージを払拭するための国づくりに邁進してきた。その着実な歩みは実を結んできており、教育では学習到達度調査欧州1位を獲得（注1）、報道の自由、腐敗認識指数でも欧州各国と肩を並べるようになっている。また、負担の少ない公的医療や教育、子育て支援を高い水準で提供する一方で、堅実な財政運営によって、政府債務は低く保たれている。

また、自由経済を掲げ、起業家にとって魅力ある国となることをめざしており、これまでスカイプやワイズといった国際的に成功を収める企業が生まれている。

質実剛健な国民性

エストニア人は寡黙（かもく）で真面目、感情をあらわにしない人が多く、初対面では閉鎖的な印象を抱くかもしれない。親しい関係を築くには時間がかかることもある。しかし、少しエストニアに滞在すれば、誠実で親切、穏やかな人が多いことに気づく。このエストニア人の気質に、どこか居心地の良さを感じる日本人は少なくない。遠く離れた国でありながら、宗教観など、エストニアにはほかにも日本人が親しみを感じやすいところがある。独立回復後にエストニアに残ったロシア系の住民はロシア正教を信仰する者も多いが、エストニア系住民の多くは無宗教であり、宗教が日々の生活に及ぼす影響を感じることは少ない。

エストニア人は、飾り気がなく、言葉少ないが、内なるたくましさを秘めている。それは、人間の鎖や歌の革命と呼ばれる非暴力運動で独立回復を成し遂げ、大胆な決断と着実な実行力で、短期間に電子国家として復興を果たしたことからも伝わってくる。「言葉より行動」。エストニア人は自らをそんな風に表現している。

注１：OECD（経済協力開発機構）主催の学習到達度調査（PISA）2018年

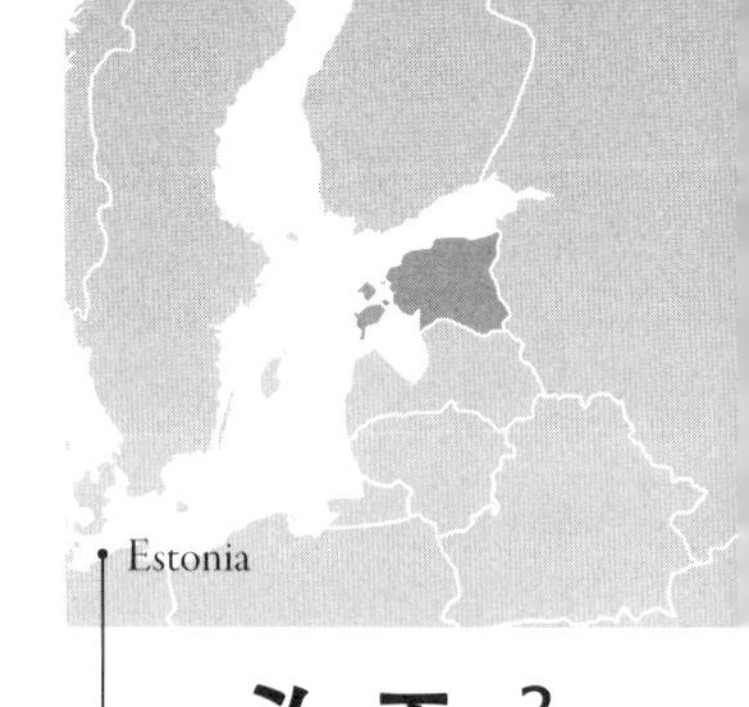

2020年よりワーキングホリデーもスタート

エストニアのビザの種類と必要な書類、条件

日本人は、エストニアにあらゆる180日以内の間で90日以内滞在する場合には、訪問目的にかかわらずビザは不要だ。ただし、エストニアはシェンゲン協定加盟国のため、複数の加盟国を訪問する場合、最初の加盟国への入国日から期間の計算がなされる点に注意が必要となる。また、原則就労はできない。

それより長く滞在する場合は、次に示すビザのどちらかを取得することになる。

なお、電子市民権（Eレジデンシー）は、居住許可証をもたない外国人が、エストニア法人をオンラインで設立、運営することをおもな目的とする制度であり、エストニアへの物理的な滞在や就労を許可するものではないため、ここには記載しない。

1：Dタイプロングステイビザ

12ヵ月期間で、連続して365日までの滞在が可能で、起業準備、インターン、短期留学など、さまざまな目的に対応できるビザだ。2回連続しての取得も可能だが、730日以内の滞在可能期間内で合計の滞在日が548日を超えてはならない。また、原則、就労には登録が必要。

取得には、滞在目的を示す書類（就労証明書類・就学証明書・家族や婚姻関係を証明する書類など）のほか、医療保険の加入、滞在中の十分な生活手段と費用負担の確認ができる書類の準備が必要だ。

以下の2つもこのビザの一種だが、取得条件や滞在条件が若干異なる。

①ワーキングホリデービザ

18歳から30歳を対象に最長1年間

の滞在と登録なしでの就労を許可する。新制度のため、取得条件は今後、駐日エストニア大使館サイトに掲載予定となっている。

②スタートアップビザ（Dタイプ）

エストニアでスタートアップを起業する場合に最長1年の滞在を許可。取得には、月最低160ユーロの生活資金証明のほか、テクノロジーをベースにした革新的でスケーラブルなビジネスとして、スタートアップ審査委員会の承認を得る必要がある。

2：一時居住許可証（短期居住許可）

最長5年までの滞在が許可され、原則就労も可能となる。家族、留学、雇用、起業、投資家など、さまざまなカテゴリがある。

カテゴリにより、条件や必要な書類は大きく異なるが、いずれの場合も月ひとりあたりエストニアにおける最低生活コストの2倍（スタートアップでは同額）以上の収入証明と医療保険が必要だ。最低生活コストは2017年のデータでは月ひとりあたり130ユーロとなっている。

起業を目的とした移住が多いエストニアだが、「起業家としての一時滞在許可」には、スタートアップとして認定を受けている場合を除き、事業活動に最低6万5000ユーロ（自営業者の場合は1万6000ユーロ）の資本金投資が必要となる。

起業した上で、自身を法人の管理・監督者として雇用し、「雇用のための滞在許可」を申請するケースもあるが、その場合は、過去5ヵ月間エストニアに法人が登録されており、かつその5ヵ月間実際の事業活動の実態があること、エストニアへの居住が業務達成のために著しく重要であることが条件となる。

短期滞在許可証によりエストニアに5年間居住し、エストニア語の語学力要件を満たすことで、長期滞在許可の申請も可能となる。

注1：医療保険には適用範囲や補償額など詳細な条件が定められている。加入前にエストニア国境警備庁に確認すること。

注2：エストニア国内窓口での申請の場合、写真は窓口で無料撮影可能。

注3：旅券の残存期間は滞在の終了時から最低3ヵ月、未使用査証欄は連続2ページ以上必要。

注4：必要書類や要件は随時変更されるため、必ずエストニア国境警備庁のサイトで確認をすること。

国境警備庁　Politsei- ja Piirivalveamet　https://www.politsei.ee/

日本の地方都市が生活費のイメージ

自炊の頻度と住居選びで出費は大きく変わる

エストニアの生活費は、基本的には、日本の大都市より安い。しかし、年々物価が上昇しており、特に首都タリンでは、想定より生活費がかさむという声も聞かれる。

生活費を大きく左右するのは、住居と食事だ。日本人の多くが選ぶ首都タリン中心部の築浅物件の場合、東京と同じくらいの家賃がかかるが、立地や部屋のコンディションを妥協すれば、その半分の家賃でも部屋は見つかる。また、エストニアの冬は寒さが厳しいため、住居の熱効率、暖房機能によって光熱費が大きく変わる。約半年間は暖房が必要だが、暖房代だけで月数万円になることも珍しくないので、家を借りる際に目安を確認することが重要だ。セントラルヒーティングのため、不在にしていても光熱費がかかることが多い。

食生活によって大きく変わる食費

エストニアの外食が意外と高いことに驚く日本人は多い。超高級店もないが、格安の飲食店もあまりないため、ランチで2000円、ディナー3000円ほどの支払いになることはよくある。平日は多くの店が600円前後のランチを提供しているが、それでもドリンクを付けると1000円程度にはなる。

一方、自炊する場合の食費はかなり安くなる。特に安い食材は炭水化物、乳製品、野菜、果物など。首都タリンの場合、パンやじゃがいも1kg、牛乳1ℓ、トマト1kg、バナナ6本は、税込みで100円前後で買える。地方では、さらにこの2～5

割程度安い。しかし、肉類とお菓子やビールといった嗜好品の価格は日本とそれほど変わらず、魚介類、味噌や日本米などの日本食材は日本の2〜3倍の価格だ。そのため、日本風の食生活をしようとすると、自炊でも食費はかなり高くなる。

節約できる交通費や娯楽費

交通費や通信費、娯楽費はかなり抑えられる。首都タリン中心部の公共交通は、市民（滞在許可を持つ外国人も含む）には無料となっており、乗り放題チケットを購入する場合でも月額約４０００円だ。小さな街ゆえ、どこに行くにも移動距離が短く、タクシー料金もさほどかからない。タクシーの平均初乗り料金は３００円弱、ライドシェア（注1）ではさらに安い。都市間の移動は長距離バスが人気だが、数時間の移動でもチケットは１０００円しないことも。

娯楽費もさほどかからない。アウトドアを楽しむ人が多いエストニアだが、国立公園への入場、トレッキングやベリー、キノコ狩りなどは無料だ。そのほか、スポーツジム会員費は月４０００円から、映画は７００円程度が目安。本格的なオペラ、バレエは２０００円台からと、日本より気軽に楽しめる。

切り詰めれば月５万円でも暮らせる

全体的にみると物価の安いエストニアだが、通信費や家電、家具、洋服、化粧品の価格は日本とほぼ変わらず、日用品は輸入品が多いため、日本より高価となることもある。

しかし、家具、家電が備わっている賃貸住宅が多いエストニアでは、家賃、光熱費、外食費をコントロールすれば、生活費をかなり低く抑えることは可能だ。

たとえば、首都タリンでひとり暮らしをする場合、ゆったりした暮らしをするためには月10万円以上かかることを想定したほうがいいが、日本の食生活の再現にこだわらず、現地で手に入りやすい食材で自炊をして、家賃の安い物件に住む場合、月５万円程度に収めることも可能だ。

食材は手頃な価格のものも多い

注１：自家用車を利用し、アプリを介して運送サービスを提供する。

安心して暮らせる都市は？

比較的治安はよいが、エリアや時間によって注意は必要

旧ソ連構成国ということから、危険な国というイメージを持つ人もいるが、エストニアは諸外国の中では比較的安心して暮らせる国だ。

独立後からこれまでに、治安は大幅に改善、現在では報告されている犯罪の多くは器物損壊と家庭内暴力となっており、日本人が滞在中に危険を感じることは少ない。スリや、言葉でのハラスメント、詐欺に遭う可能性も低く、日中であれば女性のひとり歩きでも問題ない。

ただし、殺人や交通事故の発生率は日本や北欧諸国と比較すると高く、ロシア起源のマフィアによる売春、人身売買、自動車窃盗、麻薬密売といった組織犯罪も報告されているため、ある程度の緊張感を持って暮らす必要はある。

また、エリアによっては置き引きや窃盗に注意が必要だ。ほかにも、多くのトラブルは、深夜の単独行動あるいは集団であっても酩酊時に起きているので、各自節度ある行動が求められる。夜は街灯のない路地や公園を避けることも必要だ。

近年、欧州においてはテロの可能性も気になるところだが、エストニアは国内の宗教的な対立があまりないためか、テロのリスクは低いといわれている。

安心して暮らせるタリンとタルトゥ

首都タリンとエストニア第2の都市、学生の街タルトゥはどちらも治安のよい街だ。

多くの日本人が暮らすタリンは、8つの行政区に分かれているが、特に治安面で安心できるエリアは、中心部から徒歩20分ほどのカドリオルグ、車で20分ほどの高級住宅街ピリタとノンメだ。この3つのエリアは緑に囲まれた閑静な住宅街で、犯罪発生率が低い。観光客も少ないため、不慣れな外国人を狙った犯罪にも遭遇しづらい。

第4、第5の都市であるパルヌやヴィリヤンディなども、この2都市とほぼ同等、あるいはそれ以上に治安がよい。

犯罪発生率が比較的高いエリア

エストニア第3の都市、ロシアとの国境に面し、住民の大半がロシア系である街、ナルヴァを含むイダヴィル県は、エストニア国内では犯罪率がもっとも高く、殺人、暴行、強盗、車の盗難の多くがこの地域で発生しているといわれる。失業率の高さにも関連しているが、アルコール、ドラッグ依存の問題も深刻な地域だ。

首都タリンに関しては、その行政区のうち、ラスナマエ、コプリは犯罪発生率が比較的高い。

ラスナマエはタリンでもっとも人口が多い地区であり、旧ソ連時代の集合住宅が密集する独特な景観を持つ、ロシア系の住民が多いエリアだ。10年以上前のことではあるが、この地区の若者を中心に、独立後唯一の大規模な暴動と略奪が起き、一時的にロシア系住民とエストニア系住民の間の緊張感が高まった。

現在は状況が大幅に改善されており、日中のひとり歩きに危険を感じるほどではなくなっているが、在住外国人は居住を避けることが多いエリアだ。

そして、タリン中心部の旧市街は高級住宅街ではあるが、国内きっての観光地でもあるため、特にハイシーズンではスリや窃盗といった軽犯罪が多発する。若者向けのホテルに隣接したバーやナイトクラブ周辺では、安いアルコールを求めて集まった欧州各国の酔客によるトラブルも多い。街並みの美しいエリアだが、住むのには注意が必要だ。

エストニアきっての観光地・タリン旧市街

エストニアでの仕事や給与は？

一部の職種以外では給与水準は低め 起業をする人も多い

エストニアは、経済発展に伴って年々給与が上がりつつあるが、現在も日本よりその水準は低く、最低賃金は額面で月584ユーロ、平均賃金は額面で月1448ユーロである（2020年）。そのため、在住外国人は起業家や個人事業主として、自分のペースで稼ぐ人も多い。

現地雇用を考える場合は、言語が課題となる。サービス業では、職種ごとに異なるレベルのエストニア語力の要件が定められており、それ以外の職種でも、地域によっては、仕事の上でエストニア語だけでなく、ロシア語が求められることも多い。ただし、情報技術系企業や、研究職などは英語さえ話せれば雇用のチャンスがある。日系企業は数が少なく、規模も小さいため、雇用を活発に行っているところは少ない。業界別の月額額面平均給与では、高給の業種はIT関連と金融関連が約30万円とトップであり、これに研究職が続く。もっとも給与が低い業界は、飲食、宿泊関連サービスで約12万円となっている。マーケターなどのビジネス専門職、システムエンジニアなどの技術専門職は給与が高く、英語の求人も多いため、外国人に人気だ。

アルバイトで働く場合、語学要件のため、掃除やキッチン、洗い場等、直接客と接しない場所で働く人が多い。ただし、最低時給は約400円と、日本人の感覚からするとかなり低い。ライドシェアや食品デリバリーは、現在エストニア語力の要件が適用となるか議論をしている段階だが、比較的稼ぎやすいためか、留学生が多く働いている。

Estonia

英語で学べる機会も多い
新たな留学の選択肢として人気

エストニアでは10の教育機関から、１００以上の学位プログラムが英語で提供されており、事務処理や生活も英語で可能なこと、また治安がよくコストも安いことから、近年留学先として人気が高まっている。

タリン大学、タリン工科大学、タルトゥ大学などは留学生に人気が高く、電子国家だけにサイバーセキュリティやゲームデザインなど、ＩＴ系のコースは特に注目されている。

エストニアの大学は、実践的なスキルを身に付ける場として魅力的だ。タリン工科大学に併設されたメクトリーは産学連携、起業支援施設として名高い。学位取得のための留学では、在学中も就業や起業が可能であり、卒業後は就職活動のため9ヵ月の滞在を許されることも、留学を現地でのキャリアにつなげるチャンスを広げている。

タリンの語学学校では、英語やロシア語を学ぶこともできる。費用はマンツーマンレッスンで45分約４０００円。基本的に語学学校はエストニア人向けのため、フルタイムレッスンは行われておらず、学生向け滞在許可のサポートは期待できない。英語圏やマルタのような語学留学の積極的な受け入れを行っている国と状況が異なる点には注意だ。

最高学府のタルトゥ大学

英語でのやり取りも可能
エストニアの賃貸住宅探し方と家賃の目安

エストニアでは、日本のようにひとりの担当者に複数の物件を案内してもらうのではなく、まず不動産サイト等で候補を決めてから、その担当者に個別にメールか電話で質問や内見の予約をする。ほとんどの場合、やり取りは英語で問題ない。

すでに入居者が決まったなどの理由で返信がないことも多いため、複数同時に連絡をすると家探しをスムーズに進められる。内見はオーナーとの顔合わせを兼ねていることも多く、内見なしの契約は断られることも。仲介手数料は家賃1ヵ月分、契約期間は最低1年が多い。家賃には通常、家具・家電が含まれている。短期契約用の物件は割高になる。

タリンでは、街の中心部には比較的新しい低・中層マンションと、文化遺産の古い石や木造の小規模集合住宅が多い（家賃相場約500〜2000ユーロ）。車で20分ほどのエリア、ラスナマエやムスタマエには団地風の集合住宅が立ち並んでいる（約200〜800ユーロ）。さらに郊外のピリタやノンメには、一軒家やハウスシェア（パーシャルハウス）と呼ばれる一戸建てが横に連なったようなタイプの物件が多い。一軒家をシェアするシェアハウスとは違うので注意。一軒家やハウスシェアは、庭を備えていることも多い（1000〜2500ユーロ）。タワーマンションは非常に少なく、景観保全の建築規制のため、街の中心部から少し離れた場所になる。ルームシェアが一般的でないためか、留学生には家賃80〜150ユーロと格安の学生寮が人気だ。

Estonia

公的保険が広く市民をカバー

エストニアの医療保険は公的保険とプライベート保険の2種類

エストニアの医療保険には、公的保険（ハイゲカッサ）とプライベート保険があり、市民は社会税を支払うことで、自動的に公的保険に加入することになる。子ども、妊婦、高齢者、失業者など、税の納付なしでカバーされる特例もある。留学や起業など、雇用されずにエストニアに滞在する外国人には、ビザの取得条件としてプライベート保険への加入が義務付けられている。

公的保険を使うには、まずかかりつけ医を登録し、そのかかりつけ医を受診した後、必要であれば専門医を紹介してもらうことになる（一部の診療科は例外）。急性疾患の場合は当日の診察が義務付けられているが、急を要しない場合は、かかりつけ医の受診まで最大5日間待たされることも。専門医の受診はさらに待つ期間が長くなることもある。ただし、命に関わるケースではもちろん即時の救急治療室へのアクセス、救急車の利用が可能だ。

公的保険では、外来診療を無料〜数百円、入院でも数千円程度で受けることができるが、成人の歯科受診は、還付金はあるものの全額自己負担だ。

一方、プライベート保険や自費での受診では、ほとんど待つことなく受診が可能。かかりつけ医の紹介なしで直接専門医にかかることもできる。公立病院では医師しか英語を話せないことがあるが、プライベート保険に特化したクリニックは英語が流暢なスタッフも多い。そのため、公的保険を持っていても、プライベート保険にも加入する人もいる。

Interview

多拠点ビジネスの展開を電子国家から スタートアップビザでエストニア移住

タイで映像コンテンツ制作会社を経営していた清弘さんが、欧州への移住を考えたのは、イラストや3Dのような非言語コンテンツを作るのであれば、ビジネスの拠点は世界のどこでもいいのではないか、中でも日本のアニメやゲームが戦える場所を選ぼうと考えたことからだった。

「ベルリン、アムステルダム、ロンドンなども検討したんですが、エストニアには、生活コスト、空港の近さ、会社設立の容易さや税制面などで魅力を感じました」

バンコクからタリンへ夫婦で移住して約1年、これまでに電子市民権（Eレジデンシー）とスタートアップビザの取得、エストニア法人設立を経験し、現在さらに長期の滞在に向けて準備を進めている。

諸手続きは電子サービスを活用

「タイとは異なり、エストニアは書類作成も手続きも英語で可能です。また、タイでは長時間並ぶ必要があり、手続きは1日がかりでしたが、エストニアではオンラインで予約管理されていて、役所の待ち時間がとても短かった」

タイでは代行業者に安くない費用を支払っていたが、エストニアでは自分で手続きを進められたそうだ。

スタートアップビザの申請にはビジネスプランの審査を受ける必要があるが、この審査手続きもすべて電子でスムーズに進められ、ビジネスプランの詳細を伝える書類の中身に十分に時間をかけることができた。

「スタートアップビザの取得には、この審査を通過することがいちばん重要でした。映像コンテンツという形のないものを作るということで、場所を問わずビジネスの展開ができるという趣旨に理解が得られたことで審査を通ったのではないでしょうか」

エストニアでの法人設立には電子市民権を活用した。電子市民権とはいわゆるビザではない。エストニアのビジネスインフラを、世界中で利用可能にする制度であり、デジタルノマドや、欧州へのビジネス展開を準備する人々に活用されている。

エストニアの電子サービスへのアクセスには通常、本人証明、署名機能を持つＩＤ番号が必要だが、滞在許可証を取得していない外国人はこの番号を持たない。そこで、代わりに電子市民権を取得することで、法人運営が電子的に可能となるのだ。清弘さんは、スタートアップビザから滞在許可証へ切り替えるまでの期間、この電子市民権を活用し、法人の設立を進めていった。

多拠点生活の入り口として

現在タイにスタッフ、日本に顧客を抱え、エストニアに生活の拠点を置いている清弘さん。このような多拠点生活を送る人にとって、あえてエストニアに住む理由はどこにあるのだろうか。

「エストニアは、人混みや渋滞、大気汚染がなく、家族で暮らすのに向いた国だと思います。子育て環境としても、英語での教育の機会や欧州諸国で学ぶチャンスが豊富だし、住宅事情や治安もいい」

一方で、バンコクや東京といった大都市は、世界中から人が集まり、刺激を受けられるよさがあるそうだ。

「エストニアは小さな国で人の出入りが少ないので、自分からアクティブに関わりを求めないと人とのつながりが広がらないですね。でも、電子市民権でエストニア法人の運営はどこに住んでもできるので、将来的に、状況にあわせて住む場所は自由に移動することができます。そんな生活の入り口としても、エストニアには魅力がありますね」

エストニアに移住した清弘さん

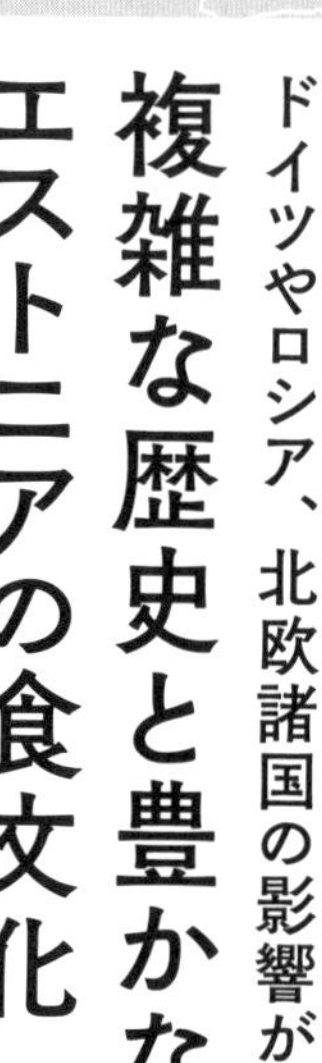

ドイツやロシア、北欧諸国の影響が
複雑な歴史と豊かな自然に形作られたエストニアの食文化

エストニアの食文化は、ドイツやロシア、北欧諸国からの影響を複雑に受けている。かつて北ドイツを中心とした都市同盟、ハンザ同盟の一部であったエストニアにおいて、もっとも広く食されているのは、じゃがいもと黒パン、ローストポークとピクルス、オイル漬けのニシンとサワークリームといったドイツ料理を想像させるメニューだ。特に、噛みごたえと酸味が特徴的なライ麦の黒パンは国民食として愛されている。

乳製品が多用されることも特徴で、酸味の少ないサワークリーム「ハプコール」は、サラダやソースによく使われる。カッテージチーズのような「コフピーム」はお菓子作りの材料として人気で、これをチョコレートで包んだお菓子「コフケ」はエストニアの子どもたちのお気に入りだ。

旧ソ連圏であることから、ロシア風餃子の「ペリメニ」や、前菜クレープの「ブリヌイ」といったロシア料理、文化的に近い北欧のサーモンスープや、カルダモンのお菓子「セムラ」なども街でよく見かける。

海に面した国なのに、シーフードが手に入りづらいことにがっかりする日本人は多いが、それでもエストニアの四季折々の食卓は魅力的だ。

豊かな森を身近に暮らすエストニア人は、季節の食材を森から手に入れる。春には白樺の樹液や、行者ニンニクなどの野草、夏には色とりどりのベリー類、秋にはアンズ茸などのキノコ類、長い冬が近づくと、酢漬けの野菜やキノコ、燻製魚、シロップ漬けの果物といった自家製の保存食が食卓を彩っている。

Georgia

［第9章］ジョージア

移住先として大注目

文・外薗祐介

Georgia

ノマドワーカーに大人気

近年注目度が急上昇
先駆者の集まる国、ジョージア

ジョージア
Georgia

■人口……400万人
■GDP……177億ドル
■ひとりあたりGDP……4,765ドル
■実質GDP成長率……5.1％
■日系企業（拠点）数……6社（前年比0％）
■在住日本人数……93人（前年比＋47.6％）

古くて新しい観光新興国

　旧ソ連構成国であるジョージアは黒海とカスピ海の間、コーカサス山脈のふもとに位置する。ロシア、トルコ、イランに挟まれたコーカサス地域は小さいものの、山間にあるため昔から多様な民族、言語、文化が入り乱れていた。そのこともあり１９９０年前後のソ連崩壊期にはジョージア内外で紛争が相次ぎ、危険なイメージが根強く残っていた。

　ヨーロッパの旅行者に人気が高まったのは２０１０年代に入ってから。ヨーロッパ主要都市からＬＣＣがジョージアへの直行便を飛ばしはじめ、マンネリ気味だった地中海近辺に代わる休暇先として注目を浴びはじめたのだ。ヨーロッパ文化圏の延長線上にありながらどこかエキゾチックな街並み、冷戦時代東側でもっともおいしいと謳（うた）われた食文化、世界最古である８０００年の歴史を誇るワイン文化、手つかずの美しい自然などの魅力に加えて、物価は安く治安もいいとなればそれもうなずけよう。

　日本ではジョージア出身力士栃ノ心関が優勝した２０１８年に関心が集まった。それまで大陸横断旅行者のルート上にある穴場の国だったの

が、ヨーロッパの主要観光地を行き尽くした旅行者やワイン・グルメなどが休暇に訪れるようになったのだ。

ノマドワーカーへの人気

旅行先としての人気の高まりとともに中長期、および多拠点生活の場としても注目が集まり始めた。前述のような魅力に加えて、ジョージアは世界でも類を見ない外国人の滞在可能期間の長さが特長に挙げられる。日本を含む90ヵ国以上のパスポート保持者に無査証（ノービザ）で1年間の滞在を許可しており、その間の就労、留学も可能。ノマドワークに不可欠なインターネットインフラも必要ラインを十分にクリアしており、コロナ禍に見舞われる前のジョージアでは、ゲストハウスに泊まりながら日中はカフェやコワーキングオフィスで作業をし、夕方からジョージアの食事やナイトライフを楽しむ各国のノマドワーカーが多く見られた。

首都トビリシは19世紀、コーカサスの中心としてヨーロッパ諸国やペルシア、オスマン帝国の公館が建つ国際都市だったが、現代再びその様相を帯びようとしている。

日本でのジョージア移住ブーム

前述した栃ノ心関の優勝後、テレビや新聞など大手メディアがジョージアとはどんな国であるか取り上げるようになると、かつてグルジアと呼ばれていた未知の国の情報が共有され、ＳＮＳでもジョージア情報が大きな話題となるように。２０１９年にはインフルエンサーの移住が口火を切る形で日本人の移住が急増した。日本大使館によれば２０２０年5月現在、ジョージアに在留届けのある日本人は１２０人。西欧諸国に較べると少ないだろうが、この2年間で3倍に増えていること、また、あくまで届けを出している数なので実数はさらに多いだろう。

移住者は10代後半から40代までが多いが、退職後の高齢者、子どもやペットを伴った家族まで幅広い。

トビリシには日本人経営のゲストハウス、シェアハウス、コワーキングオフィス、バーなど個人起業が目立ってきた。反面、日系企業がほとんど進出していないため商工会や日本人会などは存在せず、オープンな日本人コミュニティが有機的に形成されつつある黎明期である。不便もあるかもしれないが、自由でしがらみも少ない移住先であることがジョージアの最大の魅力といえよう。

Georgia

世界でいちばん⁉

入国・滞在審査のゆるい国 ジョージア

1年間の滞在はビザ不要

前ページでも触れたように、日本のパスポート所持者は無査証かつ在留許可の申請なしに1年間までの滞在が旅行、留学、就労など目的のいかんを問わず有効。また滞在期間中に第三国へ出入国をした場合、再入国時に新たに1年間の滞在が可能となる。なお所持するパスポートの要件は以下の2つ。

○入国時有効期限が半年以上残存。
○査証欄が2ページ以上残存。

旅行保険の加入義務

ジョージア滞在中は任意の海外旅行保険（傷害・疾病・死亡）への加入が必須。滞在が長期にわたる場合は事前に日本代理店を通してジョージア現地保険会社とオンライン契約すると費用をかなり抑えられる（注1）。

在留許可証（レジデントカード）

日本人の場合在留許可証がなくても1年間までの滞在は問題ないが、取得すると1年を超える連続滞在が可能となる。外出時はＩＤの携帯が義務付けられているがパスポートの代わりにレジデントカードの携帯でこと足りるほか、待遇がよりジョージア国民に近くなるため保険料金や定期預金の利率がジョージア人と同等となる。外国人移住者が一般に申請できるのは以下の4つ。

○就労在留許可
○留学在留許可
○投資在留許可
○家族統合在留許可

注1：日本語によるオンラインでの加入が可能な代理店「CAPLARITY」
https://www.caplarity.ge/georgia_travel_insurance/

Georgia

安定した移住環境の構築
在留許可証、アフターコロナの入国申請

在留許可証（レジデントカード）の取得

◆事業主、就労の在留許可証

申請者ひとりにつきその法人での年間売上高が1万５０００ドル必要。

◆留学在留許可証

留学開始後住所が定まれば在学期間有効の許可証が申請可能。

◆投資在留許可証

10万ドル以上の不動産投資、30万ドル以上のビジネス投資などが申請条件。

◆家族統合在留許可証

配偶者もしくは親がジョージア人の場合に申請が可能。

コロナ以降の入国について

平時日本人の入国滞在にビザは不要だが、２０２１年1月現在日本を含む多くの外国籍パスポート保持者は、コロナ対策ポリシーにより入国が制限されている。

現在入国が許可されているのは独・仏・バルト三国（隔離なし）と11ヵ国のＥＵ加盟国（14日間の隔離が必須）のみ。日本人がジョージアへ入国するには以下の申請がある。

◆ビジネス出張者申請

ジョージア法人から招待状が必要。

◆リモートワーカー申請

ノマドしながらジョージアに住みたい人向けのプログラム。月収２０００ドルを証明する必要。

◆留学生申請

ジョージアへ留学中もしくは留学許可が出ている場合、申請が可能。

状況は逐次変化し続けるので、政府サイト（注1）で確認を。

注1：ジョージア政府サイト　https://stopcov.ge/en/Protocol

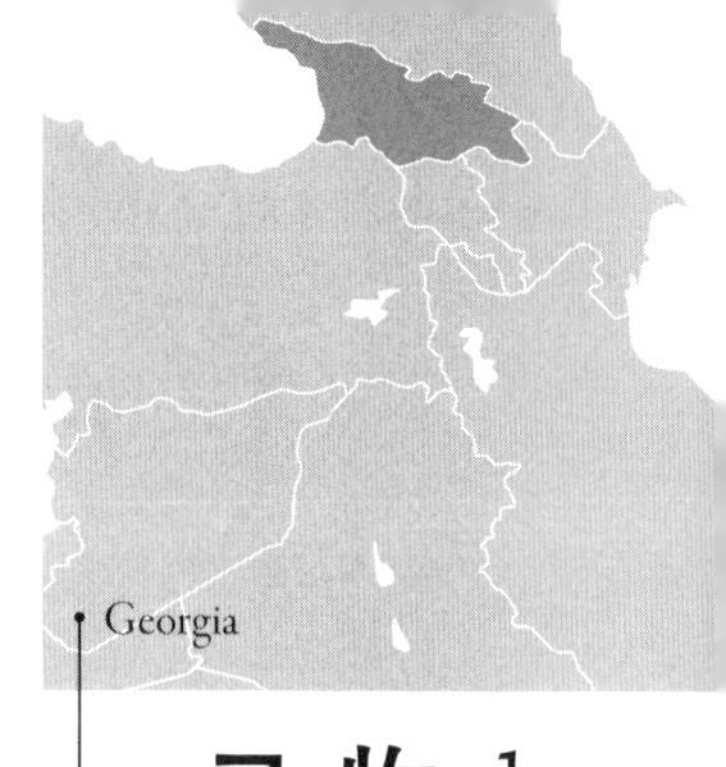

1ヵ月の生活費はどのくらい?

物価は上昇しているが ヨーロッパ内ではかなり安め

ジョージアの物価は安い。統計サイトNUMBEO（2021年）によると、ジョージアは138国中132位でザンビアと同程度。ヨーロッパ平均よりかなり安いといえる。一方で、ジョージアの過去5年間の物価上昇率は平均4%と高め。そのことを踏まえつつ、生活にかかわる価格をカテゴリ別に見てみよう。

住居

賃貸についての詳細は別項家探し（P．218）に譲るが、トビリシ中心部でも月額300ドル出せばひとり暮らしには十分快適な部屋が借りられる。200ドル以下の部屋に住む日本人もいる。

ジョージア移住者には不動産投資目的の者も多い。新築のマンション購入の場合、トビリシでの目安は1000ドル／平米からといわれる。

光熱費

電気：0・05ドル／kWh　日本の1／4、ドイツの1／6程度。

ガス：0・438ドル／ℓ　ドイツの2／3程度。

水道：ジョージアの数少ない天然資源は水。そのため非常に安い上、そのまま飲んでも問題ない。一般家庭における水道代は固定制で、使用量にかかわらず月額1・3ドルほどだ。

通信費

SIM：毎月のプリペイド式。あまった分は翌月に繰り越せるが、改めていくらかの容量を購入しないと使えない。大手キャリアMagti、

Geocellは４Ｇの容量５ＧＢにつき４ドル。

固定回線：各社さまざまなメニューがあるが速度50Ｍｂｐｓ光回線が定額制で月額17ドル。

交通費

メトロ・バス：一律０・16ドル。

タクシー・配車アプリ：１・５ドル／３㎞前後。ただしタクシーは料金交渉制のためジョージア語が話せないとハードルが高い。配車アプリBolt、Yandexなどをおすすめする。

食費

野菜：たまねぎ、にんじん、じゃがいもなどは季節にもよるが０・５ドル／kgほど。

米：日本米に近い短粒種が２ドル／kgほど。

肉：牛・豚とも部位によるが５ドル／kgほど。

醤油・味噌：手に入るが10ドル／kgと高価。

酒：ジョージアといえばワイン。量り売り１ドル／ℓから。

交際費

外食文化は未発達でやや高い。食事を簡単に外で済ませるというよりは、お祝いにレストランで食事しようという利用感覚。それでも安価なところだとひとりあたり５～10ドルでワインをつけた夕食が可能。

マクドナルドではビッグマックセットが５ドル。カフェのコーヒーは１・５ドル～。バー・クラブではビール１・５～３ドル、カクテルは４ドル～。

１ヵ月の生活費

ライフスタイルによるところが大きいが、切り詰めれば４００ドル以下も可能。６００ドルほどあれば週数回外食やカフェに行き、たまに小旅行を楽しみながら生活を送ることも難しくはないだろう。

バザールの野菜は新鮮なものが多い。ヒンカリは10個で3ドルくらい

Georgia

ジョージアの治安は？

世界でも有数の安全な国

　あまり知られていないようだが、ジョージアの治安はことのほかよい。世界の国別犯罪指数などを比較するサイトNUMBEO（２０２１年）によると、ジョージアは調査国１３５ヵ国中で10番目に安全な国としてランキング入りしている。前後に並ぶのは日本などの東アジア諸国、ヨーロッパではエストニアなどだ。

　この傾向は最近5年ほどのもので、前政権時に警察制度改革が行われたことで汚職が激減、治安が向上したという経緯がある。２０１９年ＪＥＴＲＯの報告によれば、世論調査回答者の95％は過去1年間に公共サービスを受けるために賄賂を要求されたことはないと回答した。

　筆者の経験ではバザール、メトロでのスリ、置き引きなどの話はまず聞かないし、逆に忘れ物を追いかけて届けてくれたケースもあった。同様に、タクシーに置き忘れたスマホを届けてもらった旅行者の話も複数聞く。

　ジョージアの夜道は外灯が少なく不安を催すものだが、実際には現地女性のひとり歩きも頻繁（ひんぱん）に見かけるし、夜間は警察の巡回がとても多く、ブロックごとにパトカーがいるほどだ。とはいえ、夜間のひとり歩きを推奨するわけではないし、柵のない地下への階段や排水溝の蓋がないなど足元が悪いので注意が必要だ。

トビリシの議会前デモ。2019年の暴動では数百人の負傷者が出た

注意すべきこと

　一方、インバウンド（外国人旅行

者）が拡大するにつれ、旅行者を狙ったぼったくりバーも出現。被害の報告を受けて日本大使館が２０２０年2月に注意喚起している。手口としては、旅行者を装った外国人に声をかけられてレストランやバーに連れていかれるというもの。

犯罪行為ではないが、ジョージア人は総じて酒飲み。強い蒸留酒を好意ですすめてくることが多々あるが、自分の酒量と相談して無理なときははっきり断ることも必要だ。

また、ジョージアは近年成立した大麻使用の非犯罪化に伴ってドラッグ全般の使用が拡大傾向にある。クラブなどでドラッグをすすめられることもあるが、違法行為であることは忘れてはならない。

現地で非犯罪化された大麻使用についても、日本で罪に問われることがあるので注意が必要だ。

トビリシの議会前ではたびたび大規模なデモが起きる。対立する2団体や機動隊との衝突による負傷者も毎回出ているので、むやみな野次馬行為は避けたい。政治的、宗教的な話題も相手を見定める必要があることはいうまでもない。

住みやすい都市

筆者私見では外国人の8割方が首都トビリシに住んでいそう。治安がいいことはほかの都市も変わらないが、便利さにおいて突出しているのがおもな理由だろう。次点で黒海沿岸のリゾート都市バトゥミ。バトゥミの利点は治安のよさに加えて海があること、また物価はさらに安い。両都市は住民が外国人慣れしている点でも移住先としておすすめだ。

外務省渡航中止勧告エリア

治安のよさを書いてきたジョージアだが、日本外務省が危険レベル3に設定しているエリアがある。アブハジアと南オセチアだ。この2エリアは少数民族がジョージアからの分離独立を求め、90年代から２００８年まで断続的に紛争が起きている。現在は自称政府による実効支配が続いており、ジョージア政府の統治が及んでいない。外務省は、いかなる目的であれ渡航は止めるよう勧告している。

この2エリアの独立を承認し、後援しているロシアと戦火を交えたジョージアは、現在に至るまで断交状態。ロシアとの国境付近についても不要不急の渡航は止めるよう勧告が出ていることは覚えておきたい。

Interview

ジョージア在住日本人2人に聞いたジョージアで就職？それとも起業？

現地採用の難しさ

ジョージアは日本移住者、また日系企業の進出もまだまだ非常に少ない国。日本語能力や日本人であることがプラスに働く求人は少ない。筆者の知る現地採用例は日本語教師、日本食調理師の方面など。

またジョージアの物価については、前項で触れたようにヨーロッパの中でもかなり低い国なので、給与面についてもそれが反映されることはいうまでもない。日本語、日本食方面で働く場合も、ローカルスタッフ以上の給与は得るものの、時給換算すると2～3ドルくらいが相場とのこと。

起業のしやすい国ジョージア

反対に、起業のしやすさこそがジョージア移住の大きなメリットだ。世界銀行発表のビジネス環境ランキングでは第7位（２０２０）と、本書掲載国中トップ。外国人による会社設立、個人事業主登録の手続きの簡易化などさまざまな制度整備は、旅行者だけでなく投資家や起業家、ノマドワーカーを集めるジョージア政府のインバウンドストラテジーでもある。

次にジョージアで起業した日本人2人のケースを紹介しよう。

鍼灸師リョウタさん

リョウタさんはキャリア10年以上の鍼灸師。外資クルーズ客船内で鍼灸治療をしながら、海外での開業をめざしていた。そんなときに知り合ったジョージア人との縁ができた。２０１９年10月に下見を経て鍼灸院開設を決意。その決め手となったのは、小資本で可能な会社設立、シンプルな税制度などだ。

鍼灸院経営の傍ら日本語教師、ライターなど複数の仕事も並行して受けている。日本語クラスは現在コロナ対策でオンライン。月８コマ受け持って報酬は１２０ドル。ライティングは本業の鍼灸、健康関連が多い。コロナ禍ではロックダウンで鍼灸院を一時閉めざるを得なかったが、副業のおかげもあって凌ぐことができた。経営者として新たに取り組むべき課題は多いが、異国でのキャリアステージの変化に満足しているそうだ。


リョウタさん。客船勤務で磨いた英語力のおかげで患者の国籍もさまざま

２拠点起業家のぞみさん

東京でラジオＭＣ、会社経営者として多忙な生活を送ってきたのぞみさん。海外休暇は自身の生活を見つめ直し、休息と刺激の両方を得るために必要だ。ジョージアへも休暇として訪れたのがはじまりだった。

ところが活気あふれるトビリシに大きな可能性を感じ、「トビリシには邦人が集まることができ、ジョージア人と交流できる場が必要」だと、来訪２ヵ月後には初の日本人経営バーを開業してしまった。

店舗賃貸契約→賃貸住所で会社登記→銀行口座開設をなんとたった２日間で完了。しかし口座開設手続きには、金融犯罪防止のため通訳など第三者は立ち会えない。手続きに利用できる言語はジョージア語、英語、ロシア語の３つ。苦手な英語ながらひとりでやり切れたのは大きな自信につながった。

日本とジョージアの２拠点を行き来する新生活だったが、コロナの影響で現在はトビリシ在住。旅行者が途絶えたいまも在住者が安心できる場所を提供しようと努力を続けている。

自身の行動力をせっかちと謙遜するのぞみさん

Interview

英語で留学できるジョージア 手頃な留学費用も魅力

ジョージアに留学というとどんなイメージがあるだろうか。本項では2人の日本人の留学を紹介したい。

ジョージアでパイロットに

岡林涼さんは20歳。高校卒業後の春ジョージアに来てGeorgian Aviation University パイロット養成科で留学をはじめて2年目。この航空大学で学ぶと、卒業時にCPL（事業用操縦士）、ATPL（定期運送用操縦士）の試験を受けることができる。同じ資格を日本で取得しようとすると倍率100倍の難関ANA、JAL自社養成プログラムに合格するか、やはり高倍率で学費も高い日本の航空大学校に入らねばいけない。

岡林さんがジョージアの航空大学へ留学を決めたのは前述の国際資格のこともさることながら、ジョージアの治安のよさ、留学にも適用できる1年ノービザ制度、留学費用の安さなども大きかったそう。学費は年間1万5000ドル、4年制だ。

留学先の大学は自身で見つけ、直接コンタクトを取った。高校卒業前の2月には親御さんとジョージアを訪れ、筆者サポートのもと学校見学、アパートの下見をしながらジョージアに移住留学のイメージをかためていった。

入学申請に必要だったものは高校の卒業証明書、現地で受ける健康診断書、英語に関してはSkypeでの簡単な会話面接のみ。

講義は英語中心、学生は全体で900人のうち外国人留学生も50人ほど（イラン、トルコ、レバノンほか）いる。日本人はただひとりながら留学生同士で友人もできて互いに助け合っている。昨年から英語やジョージア語のほかにドイツ語の学習もはじめ、小学生の頃に思い描いた夢を現実のものとするべく努力を重ねている。

ジョージアの伝統ワイン醸造学

ジョージアは8000年前からワインを造り続けている世界最古、最長のワイン国であることをご存じだろうか。西欧のワイン文化とはまた異なる固有の葡萄品種、特有の醸造法は、昨今世界のワイン愛好家の熱烈な注目を集めている。

酒見莞爾さんは25歳。日本で農学部を卒業してからトビリシの Georgian Technical University、Viticulture & Enology（葡萄栽培とワイン醸造学）へ留学中だ。

きっかけは大学4年時のフランス交換留学。ジョージアから招かれていた教授によるジョージアワインの特別講義に感銘を受け、ジョージアワイン留学を決意した。現在修士課程の2年目、酒見さんのきっかけとなった特別講義の教授その人の下で研究をしている。

大学へは直接連絡を取り留学準備を進めた。英語での講義を希望する場合学費は年間4000ドル。成績優秀者への奨学金制度あり。2019年夏ジョージアへはじめて渡り、大学卒業証明書を提出、20分ほどの英語面接のみで入学許可が下りた。

15人の学友中、外国人は酒見さんただひとり。講義は英語をベースにしているものの、教務情報などの伝達や生活、フィールドワークにジョージア語は必要なので、その学習も怠けられない。「毎日忙しいけれど修論のテーマも決まりモチベーションが上がった」と話す酒見さん。修士の後は博士課程への進学も考えている。

ワイン醸造学を研究中の酒見さん。日本酒造りにも関心があるそう

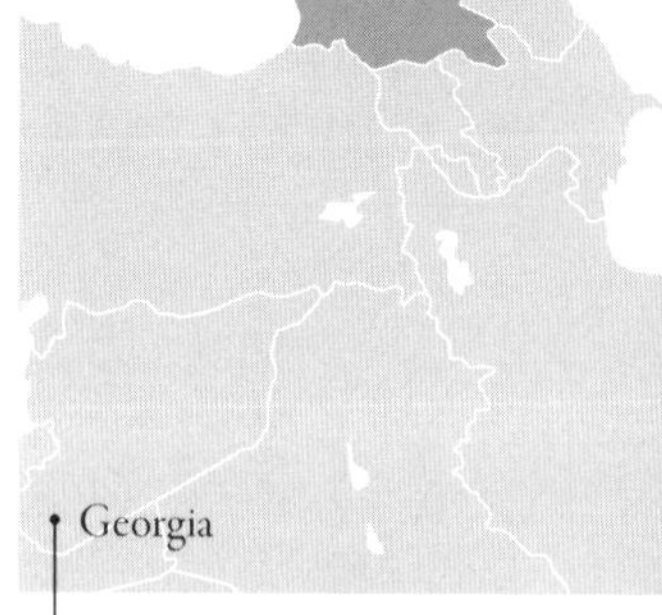

敷礼なし、家具付きが基本！
慣れてしまえば意外と簡単 ジョージアの部屋探し

ジョージアで住まいを探すにあたって、まずは基本的な事情を理解しておこう。

家賃の相場は都市や地区にもよるが月額300ドル前後とイメージすればいい。支払いは現地通貨ジョージアラリかドルの2通り。レート変動を考えるとドルのほうが安定感がある。敷金礼金はなく、はじめに開始月と最終月の2ヵ月分の支払いを求められる。貸し物件は多くの場合、家具付き。冷蔵庫、洗濯機、ベッドなどが備わっていて身ひとつで入居できるのは魅力的だ。

募集情報には通常間取図がないので、写真から見定める必要がある。ジョージアではひとり暮らしが一般的でないため、物件は総じて広め。

物件の探し方

てっとり早いのはネット検索。myhome.ge、ss.geなど仲介料を取らない不動産サイトがいくつかあり、英語にも対応している。気になる物件があれば記載されている電話番号にかけてみよう。物件登録者は大家本人か仲介エージェント。エージェントのほうが英語が通じやすいが、値引き交渉などは渋くなる。良物件はその日のうちに成約してしまうので、メールより電話がおすすめ。

エージェントの場合、同条件の他物件を紹介してくれるので数軒まとめて下見するのに便利。最近は賃貸や購入の仲介をする日本人エージェントも増えてきた。希望期間が半年未満であればAirbnbもいいし、Facebook上の外国人向け賃貸情報交換グループに参加するのも手だ。

各国大使館・日本国大使館アドレス

各国の情報は急に変更されることもある。大使館で常に最新情報を収集しよう。

イギリス

●駐日英国大使館
〒102-8381 東京都千代田区一番町1
Tel: 03-5211-1100
https://www.gov.uk/world/organisations/british-embassy-tokyo.ja

●在英国日本国大使館
Piccadilly London W1J 7JT, U.K.
Tel: +44-(0)20 7465 6500
https://www.uk.emb-japan.go.jp/itprtop_ja/index.html

●在エディンバラ日本国総領事館
2 Melville Crescent, Edinburgh EH3 7HW, U.K.
Tel: +44-(0)131-225-4777
https://www.edinburgh.uk.emb-japan.go.jp/itprtop_ja/index.html

フランス

●在日フランス大使館
〒106-8514 東京都港区南麻布4-11-44
Tel: 03- 5798-6000
https://jp.ambafrance.org/-Japonais-

●在フランス日本国大使館
7, avenue Hoche 75008 Paris, France
Tel: +33-(0)1-4888-6200
https://www.fr.emb-japan.go.jp/itprtop_ja/index.html

●在ストラスブール日本国総領事館
20, Place des Halles, "Bureaux Europe", 67000 Strasbourg, France
Tel: +33-(0)3-88-52-85-00
https://www.strasbourg.fr.emb-japan.go.jp/itprtop_ja/index.html

●在マルセイユ日本国総領事館
70, Avenue de Hambourg, 13008

Marseille, France（郵便用住所：70,
avenue de Hamburg, B. P. 199,13268
Marseille Cedex 08, France)
Tel: +33-(0)4-91-16-81-81
https://www.marseille.fr.emb-japan.go.jp/itprtop_ja/index.html

●在リヨン領事事務所
131, boulevard Stalingrad 69100
Villeurbanne, France
Tel: +33-(0)4-37-47-55-00
https://www.lyon.fr.emb-japan.go.jp/itprtop_ja/index.html

ドイツ

●ドイツ連邦共和国大使館・総領事館
〒106－0047　東京都港区南麻布
4－5－10
Tel: 03-5791-7700
https://japan.diplo.de/ja-ja

●大阪・神戸ドイツ連邦共和国総領事館
〒531－6035 大阪市北区大淀中
1－1－88－3501 梅田スカイビル
タワーイースト35F
Tel: 06-6440-5070
https://japan.diplo.de/ja-ja/vertretungen/gk

●在ドイツ日本国大使館
Hiroshimastraße 6, 10785 Berlin,
Bundesrepublik Deutschland
Tel: +49-(0)30-210 94-0
https://www.de.emb-japan.go.jp/itprtop_ja/index.html

●在デュッセルドルフ日本国総領事館
Breite Straße 27, 40213 Düsseldorf,
Bundesrepublik Deutschland
Tel: +49-(0)211-16482-0
https://www.dus.emb-japan.go.jp/itprtop_ja/index.html

●在ハンブルク日本国総領事館
Rathausmarkt 5, 20095 Hamburg,
Bundesrepublik Deutschland
Tel: +49-(0)40-333017-0
https://www.hamburg.emb-japan.go.jp/itprtop_ja/index.html

●在フランクフルト日本国総領事館
MesseTurm 34. OG, Friedrich-Ebert-Anlage 49, 60327 Frankfurt am Main,
Bundesrepublik Deutschland
Tel: +49-(0)69-238573-0
https://www.frankfurt.de.emb-japan.go.jp/itprtop_ja/index.html

●在ミュンヘン日本国総領事館
Karl-Scharnagl-Ring 7, 80539
München, Bundesrepublik Deutschland
Tel: +49-(0)89-4176040
https://www.muenchen.de.emb-japan.go.jp/itprtop_ja/index.html

オランダ

●在東京オランダ王国大使館
〒105－0011 東京都港区芝公園
3－6－3
Tel: 03-5776-5400
https://www.orandatowatashi.nl/

●在大阪オランダ総領事館

〒５４１－００４１ 大阪市中央区北浜１－１－14 北浜１丁目平和ビル８Ｂ
Tel: 06-6484-6000
https://www.orandatowatashi.nl/

●在オランダ日本国大使館
Tobias Asserlaan 5, 2517 KC, Den Haag, The Netherlands
Tel: +31-(0)70-3469544
https://www.nl.emb-japan.go.jp/itprtop_ja/index.html

イタリア

●在日イタリア大使館
〒１０８－８３０２ 東京都港区三田２－５－４
Tel:03-3453-5291
https://ambtokyo.esteri.it/ambasciata_tokyo/ja/

●在イタリア日本国大使館
Via Quintino Sella 60, 00187 Roma, Italia
Tel: +39-06-487-991
https://www.it.emb-japan.go.jp/itprtop_ja/index.html

フィンランド

●フィンランド大使館
〒１０６－８５６１ 東京都港区南麻布３－５－39
Tel:03-5447-6000
https://finlandabroad.fi/web/jpn/ja-frontpage

●在フィンランド日本国大使館
Unioninkatu 20-22, 00130 Helsinki, Finland
Tel: +358-9-686-0200
https://www.fi.emb-japan.go.jp/itprtop_ja/index.html

エストニア

●駐日エストニア共和国大使館
〒１５０－０００１　東京都渋谷区神宮前２－６－15
Tel:03-5412-7281
https://tokyo.mfa.ee/ja/

●在エストニア日本国大使館
Harju 6, 15069 Tallinn, Estonia
Tel: +372-6-310-531
https://www.ee.emb-japan.go.jp/itprtop_ja/index.html

ジョージア

●在日ジョージア大使館
〒１０７－００５２ 東京都港区赤坂１－11－36 レジデンスバイカウンテス２２０号室
Tel: 03-5575-6091
http://www.japan.mfa.gov.ge/default.aspx?sec_id=425&lang=9

●在ジョージア日本国大使館
Krtsanisi str. 9, Tbilisi, 0114, Georgia
Tel: +995-32-2752111
https://www.ge.emb-japan.go.jp/itprtop_ja/index.html

EPILOGUE

ヨーロッパ暮らし！なんて、なんだかキラキラしたイメージで自分には無理かも……。

だが、読み終わったいま、そのキラキラは現実的な色を帯びてきたのではないだろうか。

世界中どこの街でも、人々は生活し、働き、人生を楽しんでいる。習慣や言葉が違うだけで、やっていることは同じだ。ひとつひとつ、必要なことを確認していけば、ゲームのコマを進めるように「ヨーロッパに暮らす」に近づけるとわかったはず。

明日の世界は、今日と同じとは限らない。

新型コロナウイルスの流行で、私たちは思い知らされた。

「そのうちやろう」では、世界は待ってくれないかもしれない。

やりたいことは、いま考えて、いまから取り組みはじめたほうがいい。

ヨーロッパの社会は懐が深い。

やる気と、地域への敬意を持った外国人のガッツをきっと受け入れてくれるはずだ。

さあ、地図を広げてみよう。

あるいは、以前の手帳や日記を広げてみよう。

あなたがやりたかったことはなんだろう？

住んでみたかった街はどこだろう？

本書が、あなたの夢をちょっぴりでもお手伝いできることを願っている。

山田静

ライタープロフィール

●イギリス

山田志桜里（やまだ・しおり）

福岡県出身。都内の出版社を退職後、2018年に単身ロンドンへ移住。在英ライターとして、英国生活ミスター・パートナー、英国政府観光庁をはじめとする、日本の雑誌や書籍、ウェブサイトなどへの寄稿、SNSでのPRを担当。Twitter／Instagram：@nyu_n62

●フランス

奥永恭子（おくなが・きょうこ）

1997年渡仏。パリの美術学校（グラフィックデザイン専攻）を卒業後、ガイドブックの制作、執筆、イラスト、デザイン、リサーチ、アテンド、コーディネイトなどマイペースに活動する傍ら、パリのお宿紹介も。スケッチブック持参のおいしい旅がライフワーク。http://enrichir.exblog.jp

●ドイツ

（P.104 － 119、124 － 125、128 － 131）

高橋萌（たかはし・めぐみ）

フリーランス・ライター＆エディター。2007年ドイツに移住し、ドイツ国際平和村で1年間の住み込みボランティア。その後、現地発行の日本語フリーペーパー『ドイツニュースダイジェスト』に9年間勤めた元編集長。ブンデスリーガ大好き。日本人夫とバイリンガル育児に奮闘中。Twitter：@imim5636

●オランダ

山本直子（やまもと・なおこ）

2004年よりオランダ在住。オランダの生活・教育・イノベーションをネット、雑誌、ラジオなどで発信している。2020年に上梓した『週末は、Niksen。』（大和出版）では、オランダ人のリラックスしたライフスタイルを紹介。Blog：https://note.com/naokoyamamoto
Podcast：https://anchor.fm/naoko-yamamoto
Twitter：@pindatwit

●イタリア

田島麻美（たじま・あさみ）

フリーライター。2000年よりローマ在住。国立ローマ・トレ大学マスターコース宗教社会学のディプロマ取得。イタリアの旅、暮らし、食文化、歴史と人をテーマに執筆活動を続ける一方、撮影コーディネイター、通訳・翻訳者としても活躍中。著書に『イタリア人はピッツァ一切れでも盛り上がれる』（双葉社）、『イタリア中毒』（ユビキタスタジオ）など。

●フィンランド

靴家さちこ（くつけ・さちこ）

2004年よりフィンランド在住のライター／翻訳・通訳・コーディネイト＆視察ガイド業／起業家。ニュースレター『暮らしの余白』（https://kurashinoyohaku.theletter.jp/）で北欧、フィンランドからリアルでホットなエッセイを発信中。Twitterのアカウントは@Kutupon。

●エストニア

大津陽子（おおつ・ようこ）

2016年東京からエストニアに移住。フランス人の夫とJYR edition OUを設立し、エストニアのeヘルス、医療データ関連中心に視察のアレンジ、通訳、現地情報などを提供。現在はエストニア生まれの娘と犬猫、3人と2匹で首都タリンに暮らす。Twitter：@yoko_lili

●ジョージア

外薗祐介（ほかぞの・ゆうすけ）

ジョージア在住7年目、旅行のつもりで住み着いてしまったクチ。関心対象は都市と僻村の生活、アート、アウトドア、飲酒文化。なかでもジョージア伝統のクウェヴリワインと果物の蒸留酒に傾倒中。旅行ガイド、移住サポート依頼大歓迎！
https://georgia1001.com　Twitter：@siontak

編者紹介

久保田由希（くぼた・ゆき）（第１章、本文 P.120-123, 126-127, 132）
出版社勤務の後、フリーライターとなる。ただ単に住んでみたいと、2002 年にベルリンへ渡りそのまま在住。2020 年８月より拠点を日本に移す。著書に『心がラクになる ドイツのシンプル家事』（大和書房）、『ドイツ人が教えてくれたストレスを溜めない生き方』（産業編集センター）ほか多数。http://www.kubomaga.com/

山田静（やまだ・しずか）
大学時代にバックパッカーデビューして以来、そのまま旅が仕事に。旅のライター・編集者・ひとり旅活性化委員会主宰、旅に関する編著書多数、旅講座も実施。京都の旅館「京町家楽遊　堀川五条」「京町家楽遊　仏光寺東町」のマネージャーもやってます。https://luckyou-kyoto.com/

制作進行　小林智広（辰巳出版）
デザイン　勝浦悠介

移住者たちのリアルな声でつくった
海外暮らし最強ナビ　ヨーロッパ編

2021年7月1日　初版第1刷発行

編　者　　久保田由希＆山田静
発行人　　廣瀬和二
発行所　　辰巳出版株式会社
〒160-0022　東京都新宿区新宿2丁目15番14号 辰巳ビル
TEL　03-5360-8064（販売部）
TEL　03-5360-8093（編集部）
URL　http://www.TG-NET.co.jp

印刷・製本所　図書印刷株式会社

ISBN 978-4-7778-2328-4 C0076